LE MOINE
ET LE VÉNÉRABLE

DU MÊME AUTEUR
CHEZ POCKET

LA REINE SOLEIL
MAÎTRE HIRAM ET LE ROI SALOMON
POUR L'AMOUR DE PHILAÉ
L'AFFAIRE TOUTANKHAMON
CHAMPOLLION L'ÉGYPTIEN

Le juge d'Égypte

1. LA PYRAMIDE ASSASSINÉE
2. LA LOI DU DÉSERT
3. LA JUSTICE DU VIZIR

BARRAGE SUR LE NIL
LE VOYAGE INITIATIQUE
LA SAGESSE ÉGYPTIENNE

Ramsès

1. LE FILS DE LA LUMIÈRE
2. LE TEMPLE DES MILLIONS D'ANNÉES
3. LA BATAILLE DE KADESH
4. LA DAME D'ABOU SIMBEL
5. SOUS L'ACACIA D'OCCIDENT

CHRISTIAN JACQ

LE MOINE ET LE VÉNÉRABLE

ROBERT LAFFONT

© Éditions Robert Laffont, S.A., Paris, 1985
ISBN : 2-266-07242-0

Le Moine et le Vénérable *est un roman, une œuvre de fiction où l'imaginaire entre pour une part considérable. Mais il m'est apparu nécessaire de préciser que ce récit se fonde sur des faits réels dont certains aspects peuvent être éclairés.*

Le Moine et le Vénérable *se déroule pendant la Seconde Guerre mondiale. L'idéologie nazie voulut fonder une nouvelle forme de religion et de culture. C'est pourquoi elle décida de supprimer toutes les croyances qui l'avaient précédée en leur arrachant ce qu'elles possédaient, à ses yeux, de meilleur. Les nazis confièrent à un service spécial, l'*Aneherbe*, dépendant directement de Himmler, le soin de « s'occuper » des sociétés secrètes et de leurs adeptes, censés posséder des pouvoirs d'une quelconque étendue. Ce service peu connu et encore mal étudié fit procéder à l'arrestation de voyants, d'astrologues et de magiciens afin de leur extirper leurs techniques et de vérifier si elles étaient efficaces. L'*Aneherbe* considérait, en effet, que les pouvoirs psychiques pouvaient devenir des armes performantes contribuant à asseoir la suprématie du Reich. On incarcéra également des prêtres et des religieux soupçonnés de posséder des connaissances intéressantes. Les malheureux furent déportés dans des camps dont cer-*

tains avaient des sections spécialisées dans le traitement de ces « surdoués » d'un genre très particulier.

De plus, dès que le régime nazi s'imposa en Allemagne, il procéda à la fermeture des loges maçonniques et à l'arrestation de ceux qui les fréquentaient. Il semble bien, pourtant, que des francs-maçons aient favorisé l'ascension de Hitler, jouant aux apprentis sorciers, rapidement incapables de contrôler le monstre qu'ils avaient contribué à susciter.

Le nazisme créa sa propre société secrète, « l'Ordre noir ». Elle ne pouvait tolérer l'existence d'aucune autre organisation ésotérique sur les territoires du Reich. Himmler ordonna la destruction de la Franc-Maçonnerie, non sans avoir récupéré ses trésors utilisables. En France, le SD, service de contre-espionnage allemand, reçut la mission d'investir les immeubles où se réunissaient les francs-maçons, de s'emparer de leurs archives et de leurs rituels. Il obtint la collaboration de sinistres personnages, tels que Bernard Fay, administrateur général de la Bibliothèque nationale, mais n'aboutit qu'à des résultats relativement décevants.

La raison de cet échec était l'existence d'un courant secret à l'intérieur même de la Franc-Maçonnerie institutionnelle et tout à fait indépendant d'elle. Derrière la façade affairiste des organisations maçonniques survivaient des loges dites « sauvages » héritières des connaissances initiatiques transmises de Vénérable en Vénérable depuis l'Antiquité. L'une de ces loges était notamment dépositaire de la Règle d'origine des bâtisseurs de temples et du secret du Nombre qui permet, dit-on, de tout créer et de tout construire. Dans notre récit, nous avons donné à cette loge appartenant au Rite Ecossais Ancien et Accepté le nom de « Connaissance ».

Elle fut dirigée, pendant de nombreuses années, par un Vénérable hors du commun qui me fit part de l'aventure exceptionnelle vécue par un franc-maçon et un moine bénédictin dont les chemins se croisèrent en déportation. Tout les séparait, tout les opposait, et, pourtant, il leur fallut vivre et survivre ensemble dans l'enfer d'un camp de concentration. L'un avait le Grand Architecte de l'Univers pour seul soutien, l'autre le Dieu des chrétiens. Ils apprirent à se connaître mais s'affrontèrent au nom de leur foi respective ; on verra, au cours du roman, par quel défi authentique, concrétisé par ce que d'aucuns nommeront « pari » et d'autres « vœu », ils se soumirent à la plus exigeante des épreuves.

Tout ce qui est ici révélé sur les rites, les grades et les symboles maçonniques est conforme à la réalité. Le fonctionnement même d'une « loge sauvage », dont il n'a jamais été fait mention à ma connaissance, est évoqué autant que faire se peut.

L'extraordinaire rencontre du Moine et du Vénérable a bien eu lieu dans un cadre analogue à celui décrit dans ce récit ; la loge « Connaissance » a bien existé, sous un autre nom ; l'Aneherbe, de triste mémoire, a bien constitué le plus horrible service de renseignements de l'ère moderne.

Le travail du romancier a consisté à rassembler des éléments épars et à fournir les précisions en sa possession pour raconter l'histoire de deux êtres confrontés à la plus impitoyable des réalités.

J'ai eu l'immense privilège de connaître le Moine et le Vénérable qui ont servi de modèle à mes personnages. L'un et l'autre sont aujourd'hui disparus. C'est pourquoi le silence peut être rompu.

CHAPITRE PREMIER

Paris, une petite rue du XVIIIe arrondissement, une nuit de mars 1944. Il pleuvait. La lune était cachée par des nuages.

François Branier, après avoir vérifié qu'il n'était pas suivi, pénétra sous le porche d'un immeuble lépreux. A cinquante-cinq ans, le médecin aux cheveux argentés avait conservé son allure massive et tranquille qui faisait de lui un personnage rassurant, à la fois sévère et chaleureux.

Il laissa la porte cochère se refermer et attendit plusieurs minutes dans l'obscurité. Impératif de sécurité. Branier vivait la plus dangereuse des aventures. Pour la première fois depuis plusieurs semaines, il réunissait ses Frères pour célébrer une réunion de travail maçonnique, ce que les initiés appelaient « une tenue ». Ils avaient de nombreuses décisions à prendre, à l'unanimité, selon la Règle.

Ces derniers temps, plusieurs Frères de la loge « Connaissance », œuvrant à l'Orient de Paris, avaient été arrêtés pour subversion ou faits de Résistance. Ils n'étaient plus que sept pour continuer à travailler à la gloire du Grand Architecte de l'Univers, obligés de se cacher, de changer de lieu de réunion à chaque « tenue ». Lorsque le nazisme avait triomphé en Allemagne, les francs-maçons avaient compté au nombre des premiers persécutés. Les loges avaient été dissoutes, jugées dangereuses pour la

11

sécurité de l'Etat. De nombreux Frères allemands avaient été emprisonnés, exécutés sans jugement, déportés.

« Connaissance » n'était pas une loge comme les autres. Elle possédait même une caractéristique unique. C'est elle qui détenait le secret du Nombre, le seul secret essentiel de l'Ordre qui avait été transmis de génération en génération. Quelques rares Frères, disséminés à travers le monde, avaient reçu ce trésor en héritage. Beaucoup étaient morts depuis le début de la guerre. François Branier, Vénérable Maître de la loge, était peut-être le dernier survivant à connaître le Nombre à partir duquel tout pourrait être reconstruit. Encore fallait-il qu'il puisse, à son tour, le transmettre et ne point mourir en emportant son secret dans la tombe.

L'immeuble était silencieux. Branier quitta l'abri du porche et s'engagea dans une petite cour intérieure plongée dans l'obscurité. Sur sa gauche, une porte métallique. Le médecin frappa trois coups espacés. Une voix dit « entrez ».

Branier sut aussitôt qu'il avait été trahi. Ce n'était pas un Frère qui lui avait répondu. Il se serait exprimé autrement. Il fallait déguerpir sans réfléchir davantage. Branier se rua sous le porche, ouvrit la porte cochère.

Sa tentative de fuite s'arrêta là. Sur le trottoir l'attendaient cinq hommes en imperméable vert sombre. La Gestapo. Des voitures noires bouchaient les extrémités de la rue. Branier serra les poings. Une rage froide l'envahit. Se battre était inutile, suicidaire. Il demeura figé, espérant un impossible secours.

— Mes félicitations, monsieur Branier, dit l'un des policiers allemands, au visage lisse, très blanc, animé par de petits yeux mobiles. Vous êtes raisonnable. Votre réputation n'est pas usurpée.

La lumière de la lune, qui brillait entre deux nuages, permettait à Branier de dévisager son interlocuteur. Il n'y avait qu'une seule question à poser.

— Où sont mes... mes amis ?

— En sécurité, comme vous, monsieur Branier. N'ayez aucune inquiétude. Si vous voulez bien monter dans ma voiture...

Le policier, au ton obséquieux, parlait un français sans accent.

François Branier se faisait une tout autre idée d'une arrestation par la Gestapo : menottes, coups, ordres impérieux... Pourquoi cette politesse presque affectée, ce respect incompréhensible ? Ce qu'il croyait entrevoir lui tordait le ventre d'angoisse.

Au moment de monter dans la Mercedes noire, le Vénérable leva la tête. Au troisième étage de l'immeuble en face, une fenêtre faiblement éclairée. Dans le coin gauche, un visage d'homme, derrière le rideau soulevé. Surpris par le regard de François Branier, le guetteur baissa brusquement le rideau, éteignit la lumière.

Branier s'adressa au policier allemand qui, comme lui, avait observé la scène. Rien ne lui échappait.

— C'est celui-là qui m'a donné ?

— Exact.

— Qui est-ce ?

— Je ne sais pas, mentit l'Allemand, presque amusé. Tout ce que je peux vous dire, c'est qu'il est franc-maçon. Il vous a rencontré dans une autre loge. Il nous a permis de retrouver votre trace. Montez.

Quand la voiture démarra, le Vénérable sut qu'il boirait le calice jusqu'à la lie.

— Vite, bon Dieu !

Le frère Benoît, de l'Ordre des bénédictins, avait juré une fois de plus, sans même s'en apercevoir. Le temps n'était pas aux élégances de langage. Il était trop préoccupé par la fuite de deux jeunes juifs qui devaient impérativement monter dans le camion transportant des troncs d'arbres. Le frère Benoît les avait cachés depuis deux jours dans les bois situés près de Morienval. Depuis un an, le religieux avait reçu la charge de cette très ancienne abbaye.

La population appréciait les dons de Benoît, guérisseur, radiesthésiste et magnétiseur. Selon la grande tradition de l'Ordre, il s'occupait activement des âmes comme des corps. A la tête d'un réseau de passeurs, le bénédictin avait permis à des dizaines de personnes d'échapper à la police allemande.

Le camion arrivait. Il avait quitté la petite route pour s'engager dans un chemin forestier. Benoît poussa les deux jeunes juifs qui grimpèrent à l'arrière et se glissèrent dans une cachette aménagée sous le plancher du véhicule. Ces deux-là, avec un peu de chance, ne finiraient pas dans l'un des centres de « triage » de la région de Compiègne. Les roues du camion patinèrent dans la boue. Benoît craignit qu'il ne s'enlisât, comme la dernière fois. Le conducteur passa une vitesse, accéléra brutalement, arrachant son véhicule à la gangue de terre molle. Le religieux salua de la main ceux qui ne pouvaient plus le voir. Ce soir, ils seraient en zone libre et reprendraient le combat contre l'envahisseur.

Le frère Benoît était vêtu de son éternelle robe de bure dont la ceinture n'était autre qu'un chapelet à gros grains. Ce véritable colosse, au menton orné d'une barbe un peu rousse, n'avait jamais froid. Il aimait ces petits matins glacés où la forêt était encore endormie, où la solitude était presque absolue. Il y ressentait la présence de Dieu. Quelle joie de progresser sur les tapis de feuilles mortes, de contempler au passage les bourgeons gorgés de sève, de ressentir le printemps qui allait bientôt éclater. Allons ! il y avait encore de l'espoir ; la France réussirait à se libérer, le monde sortirait enfin de la pire des horreurs imposées à l'humanité depuis ses origines. Et dire que certains osaient parler de progrès...

Benoît marchait vite. A midi, il recevrait trois nouveaux résistants pourchassés par les Allemands. Il lui faudrait auparavant trouver des vêtements, un passeur, de l'argent. Dieu y pourvoirait.

Le Moine habitait une vieille maison de pierre située derrière l'abbaye. En y pénétrant, il songeait au café fumant qu'il allait s'offrir. Son seul luxe.

Le religieux grimpa les trois marches du perron de pierre, ouvrit la porte, parcourut le couloir en trois pas et pénétra dans la cuisine.

Trois hommes l'y attendaient, vêtus d'un imperméable vert. Le religieux réagit aussitôt. Il s'empara d'une chaise et l'abattit sur le crâne de l'Allemand le plus proche. Deux autres policiers de la Gestapo, arrivés par-derrière, lui bloquèrent les bras. Le colosse faillit s'en débarrasser, mais les armes braquées sur lui l'obligèrent à rompre le combat. Un homme de Dieu n'a pas le droit de se suicider.

— Calmez-vous, dit l'un des policiers, au visage lisse, très blanc, dans lequel brillaient des petits yeux mobiles.

— Pourquoi m'arrêtez-vous ? ragea Benoît. Je n'ai rien à me reprocher.

— Et ça ?

Sur la table de la cuisine, l'Allemand avait posé une baguette de sourcier, un pendule de radiesthésiste, plusieurs grimoires traitant de la guérison par les plantes.

Le frère Benoît était éberlué. C'était pour ça qu'on l'arrêtait ? On n'évoquait même pas son activité de résistant... Un cauchemar sans queue ni tête.

— Vous possédez d'étranges pouvoirs pour un religieux sans histoires... On nous a dit que vous étiez le meilleur guérisseur de France, que vous étiez en communication avec les puissances invisibles. Nous voulons vérifier.

L'hallucination continuait. Benoît n'en croyait pas ses oreilles. Comment des sbires de la sinistre Gestapo pouvaient-ils s'intéresser à de pareils problèmes ?

— Vous croyez à ces ragots ! s'indigna le Moine.

— Je crois à ce que je vois, rétorqua l'Allemand. Je comprends que vous ne souhaitiez pas répondre à mes questions. Nous allons vous emmener avec nous. Nous vous conduirons auprès de spécialistes qui sauront vous rendre compréhensif.

Le frère Benoît ne prononça plus un mot. Les brutes qu'il avait en face de lui n'étaient pas prêtes à discuter. Déjà, il ne pensait qu'à s'échapper. Mais auparavant, il voulait savoir. Savoir pourquoi on l'arrêtait en évoquant de pareils motifs.

Quand les habitants de Morienval virent le frère Benoît, encadré par des policiers, monter dans la voiture de la Gestapo, ils furent persuadés que le religieux avait été dénoncé à cause de ses activités de résistant. Aucun d'eux n'entrevit la vérité.

CHAPITRE 2

François Branier aimait Compiègne. Enfant, il y était souvent venu en vacances chez son oncle. Ensemble, ils avaient exploré la forêt, pêché dans de petites rivières, parcouru des dizaines de kilomètres à bicyclette pour le plaisir de découvrir des vallées perdues, des paysages de la vieille France oubliée des citadins. Mais le Compiègne d'aujourd'hui était celui de la terreur. C'était de là que des convois de prisonniers, traités comme du bétail, partaient pour les camps d'extermination nazis. Le Vénérable ne doutait pas une seconde qu'il connaîtrait le sort abominable de ceux qui osaient braver l'Allemagne d'Hitler.

Il fut d'autant plus étonné lorsque la Mercedes de la Gestapo s'arrêta devant un coquet hôtel particulier du centre-ville. On fit descendre Branier et on le conduisit au premier étage. Les salons bourgeois et les chambres avaient été transformés en bureaux. On avait abattu des cloisons, cassé des moulures pour introduire des meubles de classement. Malgré l'heure tardive, des soldats tapaient à la machine.

Le Vénérable fut introduit dans un bureau luxueux, sans doute celui de l'ancien maître des lieux. Aux murs, des lithographies et des eaux-fortes représentaient des monuments de Compiègne. Parquet lustré, mobilier Empire. Installé dans un fauteuil rouge à haut dossier, un gradé d'une quarantaine d'années, en uniforme SS. Cheveux très noirs, visage aux traits épais.

— Asseyez-vous, monsieur Branier. J'ai appris que vous vous étiez montré très raisonnable. Excellente initiative.

Le Vénérable planta son regard dans celui de l'Allemand.

— Où sont mes amis ?

— Déjà partis pour leur future résidence, monsieur Branier. Un train spécial, il y a un quart d'heure environ. Conditions de confort médiocres, je le reconnais. Mais à la guerre comme à la guerre, comme vous dites.

L'officier SS se leva et fit les cent pas dans le bureau, avec la tranquille assurance d'un dompteur. Son collègue, l'homme de la Gestapo, se tenait debout dans un angle de la pièce.

— Vous êtes médecin, monsieur Branier ?

François Branier s'était calé dans son siège. Le dos droit, les avant-bras posés sur les accoudoirs, il se sentait dans la peau d'un condamné à mort assis sur une chaise électrique. Le SS jouait avec lui comme un chat avec une souris. Il y avait cent fois plus de cruauté dans ces paroles en demi-teinte que dans la torture la plus atroce. L'Allemand avait tout son temps. Il cherchait les points faibles pour frapper avec un maximum de précision, anéantir son adversaire à coup sûr. Branier n'avait pas le droit de baisser sa garde une seule seconde.

— Vous devriez répondre, monsieur Branier. Vous réfugier dans le silence est une mauvaise tactique. Je pourrais vous menacer de représailles sur la personne de vos Frères. Etes-vous médecin ?

— Oui.

— Spécialiste ?

— Non. Généraliste.

— Marié ?

— Veuf.

— Des enfants ?

— Non.

— Vous avez abandonné votre cabinet et votre domicile parisiens dès la déclaration de guerre. Vous êtes entré en Franc-Maçonnerie à l'âge de vingt-cinq ans, à la Grande Loge de France. Très vite, vous êtes apparu comme un élément exceptionnel. Vous avez refusé tous les honneurs mais vous avez acquis le respect des loges de l'Europe entière. En évitant de prendre place dans la hiérarchie apparente et officielle, vous êtes devenu le chef de la Franc-Maçonnerie secrète. Vous avez fondé une loge portant le nom de « Connaissance » qui détient les véritables secrets de l'Ordre. Nous sommes sur la piste de cette loge depuis bien longtemps... Jamais le même lieu de réunion, aucune périodicité, transmission purement orale. Vous n'avez pas souvent couché deux soirs de suite dans le même lit, monsieur Branier. L'effectif de votre loge n'a jamais dépassé vingt Frères. Beaucoup d'entre eux sont morts ou disparus. Nous en avions arrêté un, mais il s'est suicidé pendant son interrogatoire. Sans la dénonciation de l'éminent franc-maçon qui vous avait offert le local où vous deviez vous réunir hier soir, nous n'aurions jamais eu la possibilité de réussir un pareil coup de filet. Un coup de chance qui a été apprécié à sa juste valeur en très haut lieu. Ma relation des faits est-elle exacte, monsieur Branier ? Des détails à rectifier ?

— Aucun.

Le SS se rassit, l'air satisfait.

— Merci pour votre sincérité. Nier aurait été puéril. Tout ce que j'ai avancé a été vérifié avec beaucoup de soin. Mais il reste de nombreux points obscurs. Je ne parle pas de vos activités dans la Résistance... banales. Elles serviront de chefs d'inculpation officiels.

Les nerfs du Vénérable étaient tendus. Il aurait eu besoin de se libérer de cette tension. Hurler, cogner... L'étau se resserrait à chaque seconde. Pas seulement sur lui, l'individu François Branier, mais aussi sur sa fonction de Vénérable Maître, sur le secret dont il était le gardien. Pas plus qu'un prêtre, il n'avait le droit de se suicider. Il devait tout tenter pour transmettre, pour que la tradition initiatique de l'Ordre continue, pour que la lumière ne disparaisse pas.

— Nous avons régulièrement perdu votre trace malgré le quadrillage dont vous faisiez l'objet. Nous n'avons aucune certitude sur la fréquence et la durée des réunions de votre loge « Connaissance ». Les précautions que vous prenez sont aussi extraordinaires qu'efficaces. Vous avez vraiment beaucoup à cacher au gouvernement du Reich.

Dix tactiques se bousculaient dans la tête du Vénérable. Il lui fallait lâcher du lest sans rien révéler d'essentiel, sortir vivant de ce bureau sans trahir son serment.

— Pourquoi « extraordinaires » ?

Le SS sourit.

— N'essayez pas de me faire croire que « Connaissance » est une loge maçonnique ordinaire, une simple assemblée d'humanistes aux vagues idéaux de tolérance et de liberté. Vous êtes un révolutionnaire, monsieur Branier, vous voulez changer le monde, changer l'homme. Folie, utopie, peut-être... mais peut-être pas. Sûrement pas quand on connaît votre sérieux et celui de vos Frères, triés sur le volet. Rien n'est plus difficile que d'entrer dans votre loge. Cinq ans au moins de préparation avant l'initiation, sept années d'apprentissage au minimum, nombre d'années de compagnonnage indéterminé avant de devenir Maître... Quant au Vénérable désigné, c'est obligatoirement un être aux pouvoirs tout à fait exceptionnels...

— Faux. Un Frère comme un autre désigné à l'unanimité. Rien de plus.

Le SS s'empara d'un coupe-papier dont il fit miroiter la lame sous sa lampe de bureau.

— Votre modestie vous honore, monsieur Branier. Elle ne me paraît pas crédible. Votre loge a suscité bien des jalousies parmi les francs-maçons eux-mêmes. En tant que Vénérable, vous refusiez systématiquement les visiteurs venus des autres loges. Un droit existant certes, mais jamais appliqué. Pour assister à vos « tenues », il fallait obligatoirement être membre de « Connaissance » et avoir satisfait à des épreuves dont nous ignorons la nature. Pas un seul des francs-maçons arrêtés n'a pu nous révéler quelque chose d'intéressant sur la vie intérieure de votre loge. Vous étiez le chef d'un Etat dans l'Etat. Pourquoi tant de mystères si vous ne détenez pas quelque chose d'essentiel ? Et tout ce qui est essentiel concerne le Reich, monsieur Branier.

Le Vénérable se redressa, déployant ses larges épaules, adoptant le ton de la plus ferme conviction.

— Nous sommes des spiritualistes. Nous voulions simplement travailler en paix, loin des combines et des intrigues.

— Je n'en crois rien, rétorqua sèchement le SS. Spiritualistes... ces gens-là n'ont rien à cacher. Ce sont des mystiques inoffensifs. Ce n'est pas le cas de vous et de vos Frères. Trouvez un argument plus convaincant.

Derrière lui, le Vénérable entendit le bruit caractéristique d'un imperméable qui se défroisse. L'homme de la Gestapo avait bougé. Branier se força à demeurer calme, presque indifférent. L'officier supérieur SS était remarquablement informé. Son travail de fourmi s'était révélé payant. En accumulant des dossiers, même à partir de bribes d'informations, il avait réussi à obtenir des indications précises que la plupart des francs-maçons ignoraient. Sans doute en savait-il même davantage.

— Puisque vous connaissez si bien ma loge, dit le Vénérable, vous n'ignorez pas que tout secret est partagé entre les Frères. Seul, je ne suis rien.

Passant l'index sur la lame de son coupe-papier, le SS parut soucieux.

— Enfin un vrai problème ! Voilà longtemps que je me

le pose. Si vous mentez, vous seul êtes important et nous pouvons faire exécuter vos Frères. Si vous dites la vérité, il est indispensable que vous soyez tous réunis en lieu sûr pour que nous parvenions enfin à connaître votre secret. Je ne veux pas prendre de risques. J'ai choisi la seconde solution. Heinrich Himmler m'a confié cette mission. Je ne tiens pas à le décevoir. Vous allez donc rejoindre vos Frères, monsieur Branier. Départ dans un quart d'heure.

Le Vénérable se tassa sur lui-même, atterré. Le SS le considéra avec mépris. L'homme n'était peut-être pas aussi exceptionnel qu'on le prétendait. A moins qu'il ne fût un parfait comédien.

Le SS décrocha son téléphone pour confirmer le départ du convoi spécial dont ferait partie François Branier. Ce fut le premier instant où il quitta des yeux son prisonnier.

Branier bondit comme un fauve. Il tordit le bras du SS, lui arracha le coupe-papier et lui plaqua le front sur le bureau. La pointe de l'arme improvisée s'enfonça légèrement dans le cou, à la hauteur du bulbe rachidien. Avec une vivacité surprenante, Branier contourna le bureau pour se placer derrière le SS. A présent, il était en position de force. L'homme de la Gestapo n'avait pas eu le temps d'intervenir.

— Vous me laissez sortir d'ici, ou je le tue.

— Tuez-le donc, Branier. Ça ne changera rien. Un autre le remplacera. Vous ne sortirez d'ici que pour monter dans un train.

— Vous bluffez. Mettez une voiture à ma disposition.

L'officier supérieur SS respirait avec difficulté, le visage plaqué sur son sous-main. Il s'était lourdement trompé sur le compte du Vénérable, le croyant vaincu, à bout de ressources.

L'homme de la Gestapo, très calme, appela les soldats de la garde. Mitraillette à la hanche, trois d'entre eux pénétrèrent dans le bureau.

— Lâchez ce coupe-papier, monsieur Branier. Sinon, je donne l'ordre de tirer. Vous serez tués tous les deux.

— Allez-y.

Branier releva la tête du SS en l'agrippant par les cheveux. Il l'obligea à se mettre debout en lui tordant le bras gauche. La pointe du coupe-papier se posa contre la carotide. Le SS ne put contenir un tremblement. La détermination de Branier était farouche. Cet homme-là savait tuer.

— La voiture. Vite.

— Et vous laisseriez tomber vos Frères ? demanda l'homme de la Gestapo.

Le sang du Vénérable se figea. S'enfuir, c'était avouer qu'il était seul à détenir le secret, condamner ses Frères à mort. Accepter de les rejoindre, là où l'enverraient les nazis, c'était prouver que la communauté devait être rassemblée pour que les mystères soient révélés.

Le coupe-papier tomba sur le parquet avec un bruit sec. Branier lâcha le bras du SS et s'écarta de lui. Il invoqua silencieusement le Grand Architecte de l'Univers et attendit les coups.

CHAPITRE 3

La nuit était glaciale. En gare de Compiègne, le convoi de déportés, composé de cinq wagons. L'homme de la Gestapo accompagna François Branier, encadré par deux SS. On n'avait pas passé les menottes au Vénérable.

Dans la gare silencieuse, le train apparaissait comme une bête monstrueuse, menaçante. Alors que le Vénérable passait près du premier wagon, la porte coulissante s'ouvrit brusquement. Apparut un jeune homme, nu, qui hurla : « Je ne veux pas partir ! » et sauta sur le quai. L'homme de la Gestapo tira le Vénérable de côté, les deux SS firent feu sur le fugitif qui se tortilla sur le quai pendant de longues secondes avant de s'immobiliser. L'un des deux SS lâcha une rafale de mitraillette à l'intérieur du wagon. Des cris de douleur, des corps qui tombent les uns sur les autres. Le SS fit coulisser la porte avec violence et remit le cadenas.

— Montez, ordonna l'homme de la Gestapo à Branier, l'entraînant vers le dernier wagon du convoi, divisé en plusieurs compartiments séparés par des cloisons de bois.

Le Vénérable occuperait le compartiment du milieu, très étroit. Il avait la chance d'être seul, alors que les déportés étaient entassés dans les pires conditions.

Le Vénérable s'assit sur le plancher recouvert de paille humide. Une odeur forte fit se contracter ses narines. La porte se ferma, le plongeant dans l'obscurité. Le train s'ébranla. Il était trois heures du matin.

Branier constata qu'on lui avait laissé son manteau, son costume de ville, sa cravate, comme s'il partait pour un voyage d'agrément. Il n'avait pas peur de la mort. Il craignait la souffrance, comme n'importe qui, mais avait appris à l'apprivoiser. Ce qu'il redoutait, c'était de trahir. Par faiblesse. Par lassitude. Parce que son esprit se serait enfoncé trop profondément dans la nuit, parce que son corps torturé crierait grâce, parce que la mort ne viendrait pas assez vite pour le délivrer. Disparaître sans avoir transmis serait le pire des supplices.

Pendant cette soirée où il avait été arrêté, François Branier devait précisément initier son successeur à la charge de Vénérable Maître et lui confier le secret du Nombre.

Il n'avait pas sommeil. Des souvenirs affluaient à sa mémoire. Son enfance si heureuse dans un petit village de Savoie, sa « montée » à Paris, ses années d'études en médecine, sa rencontre avec celle qui était devenue sa femme, la passion de la lecture... cette passion qui, après des journées de consultations harassantes, lui faisait dévorer de gros bouquins traitant des mystères de l'Antiquité, des sculptures du Moyen Age, de la géométrie sacrée ; un refuge, peut-être, pour échapper à un monde en folie, mais surtout la découverte de lois éternelles sans lesquelles l'homme devient moins qu'un animal. François Branier avait entendu parler de la Franc-Maçonnerie. Il l'avait en horreur, à cause de ses combines, de sa mentalité petite bourgeoise, politicarde, de ses faux secrets. Dix fois, vingt fois, il avait été sollicité pour devenir membre d'une des grandes « obédiences ». Il avait sèchement repoussé ces avances minables, où il n'était question que du montant des cotisations, d'ambition sociale, de relations utiles, de titres ronflants.

Quelques jours après la mort de sa femme, le drame le plus effroyable de son existence dont il ne s'était jamais vraiment remis, Branier avait soigné un vieux professeur de français. Il n'avait plus longtemps à vivre et il en était conscient.

Le patient était resté plus de trois heures en compagnie du médecin qui l'avait gardé à dîner. Ils avaient parlé de tout, sauf de Franc-Maçonnerie. Le lendemain, Branier avait demandé son admission dans la loge dont le vieux professeur était le Vénérable.

Une assemblée composite où s'affrontaient de multiples tendances. Lorsque le vieillard était passé à l'Orient éternel, Branier avait été élevé au grade de Maître. Il consacrait à la loge tous ses loisirs, redécouvrant les « anciens devoirs » pratiqués avant que la Franc-Maçonnerie ne sombre dans le matérialisme et dans l'affairisme. Le moment venu, Branier fonda une nouvelle loge, « Connaissance », à l'Orient de Paris, rassemblant quelques Frères d'exception.

« Connaissance » fut sévèrement critiquée par les autorités administratives de la Franc-Maçonnerie. On taxa la loge d'élitisme, d'intellectualisme. Mais on la craignait. On redoutait ses pouvoirs. Le Vénérable Branier sut qu'il avait eu raison de s'engager sur cette voie lorsque, le soir de la Saint-Jean d'Hiver 1936, un Frère venu d'Allemagne lui confia des archives et le secret du Nombre. Les loges allemandes étaient persécutées par le nazisme triomphant. Les très rares Frères qui détenaient les véritables trésors de l'Ordre étaient tous menacés de mort. La loge de Branier, qui se tenait à l'écart des débats stériles, avait été jugée digne de recevoir le dépôt le plus sacré de la Franc-Maçonnerie initiatique. Branier avait tout d'abord refusé. Il ne se sentait pas prêt. Sa loge était trop jeune, trop inexpérimentée. Mais il s'était laissé convaincre par son interlocuteur. Il n'avait pas vraiment le choix... Un mois plus tard, l'émissaire allemand avait été exécuté. Pris dans une rafle et torturé, il n'avait pas parlé.

Depuis ce jour, le Vénérable n'avait plus bénéficié

d'une seconde de repos. Il avait voyagé dans l'Europe entière, utilisant des réseaux de résistants, des associations de médecins, des relations amicales. Changeant sans cesse de lieu, il avait organisé de nombreuses réunions pour former des Frères épars aux tâches qui les attendaient.

La guerre avait éclaté. Branier s'y attendait. Il avait tout préparé pour une existence clandestine. « Connaissance » avait échappé aux nazis jusqu'à cette nuit de mars 1944 où elle leur avait été vendue par un haut dignitaire franc-maçon jaloux de Branier.

Des gémissements. Branier entendait des plaintes. Sur sa gauche, de l'autre côté de la cloison de bois. Une voix grave cria : « Ta gueule ! » Mais les gémissements continuèrent, insistants. « Ferme-la, ou je cogne ! » reprit la voix grave. Des hommes pleurèrent. Les nerfs craquaient. Un corps fut projeté contre la cloison. On commença à se battre. L'échauffourée fut aussi brève que violente. Le jour se levait. Par une fente creusée entre deux planches, Branier vit une cinquantaine d'hommes nus entassés dans un espace qui n'aurait dû en contenir qu'une dizaine. Sur la paille humide, deux cadavres.

Le Vénérable se rassit, la tête dans les mains. Lui avait encore une forme humaine. Lui, le privilégié. Pour combien de temps ?

François Branier avait sommeillé. Le crissement régulier des roues sur les rails agissait comme une drogue. L'arrêt du train le projeta en avant. Son front heurta violemment la cloison.

Le Vénérable se releva, lentement. Il consulta sa montre. Elle s'était arrêtée. Il avait oublié de la remonter. Malgré son imperméable, il frissonna. Dehors, on glapissait des ordres en allemand. Branier se mit à plat ventre. Sous la porte, il y avait un jour suffisant pour qu'il puisse voir ce qui se passait.

Sur le quai, des SS aidés de chiens-loups faisaient s'aligner des dizaines d'hommes. Les uns nus, les autres habillés de vêtements rayés. Pas un cri de révolte, pas un murmure de protestation. Un vieillard s'écroula. Des coups de crosse s'abattirent sur les têtes des traînards. Moins de dix minutes après la manœuvre, le troupeau humain s'ébranla en direction de camions bâchés, moteurs en marche. Les véhicules partis, ce fut le silence. Branier ne distinguait plus une seule présence sur le quai. Le temps semblait s'être arrêté, comme si on l'avait oublié, comme s'il n'existait plus. Un espoir fou l'envahit. Après tout, dans n'importe quelle armée, il y a des négligences administratives qui rendent possibles les évasions les plus invraisemblables. Branier chercha un objet qui pourrait lui permettre d'ouvrir la porte du wagon. Il fouilla la paille, Rien. La cloison... elle n'était pas si épaisse. A coups de pied, il ébranla la planche la plus faible. A la dixième ruade, un craquement. Elle se fissurait par le bas. S'il pouvait passer par le compartiment d'à côté, il trouverait certainement une ouverture. Les Allemands n'avaient peut-être pas refermé cette partie du wagon après avoir débarqué leurs prisonniers. Le bas de la planche céda. Sans se soucier des échardes, Branier tira vers lui la partie restante. Les muscles de son dos se tendirent.

Il était en sueur, haletant. Le bois gémissait, cédait peu à peu.

— Ça vient, murmura-t-il.

La porte du wagon coulissa brusquement. L'air glacial frappa le Vénérable au visage. Il lâcha la planche qui s'effondra, brisée, dans le compartiment d'à côté.

Sur le quai, un SS. Un officier supérieur. Celui qui avait interrogé le Vénérable à Compiègne.

— Vous me décevez, monsieur Branier. Cette tentative d'évasion est ridicule. Suivez-nous.

Branier descendit sur le quai avec une infinie lenteur, comme s'il se mouvait au ralenti. Il marcha jusqu'à la

Mercedes noire, encadré de deux SS aux visages étrangement semblables, rigides et fermés. Il découvrit le paysage. La minuscule gare semblait perdue au milieu d'un cirque de hautes montagnes, couvertes de neige. L'Autriche, peut-être... Branier monta à l'arrière du véhicule. Les SS le coincèrent au milieu de la banquette. L'officier supérieur s'installa à l'avant. Il ne prononça pas un mot pendant le trajet qui dura environ une heure. La Mercedes roulait à faible allure, gravissant une route étroite, pentue, aux nombreux virages en épingle à cheveux. Sur les flancs de la montagne apparaissaient, par endroits, des plaques d'herbe tachant de vert les champs de neige. Le début du printemps. La voiture passa par un village coquet avec ses châlets de bois aux couleurs vives. Une abbaye romane, des fontaines de pierre, des ruelles très propres. Puis ce fut un champ d'arbres fruitiers dont certains seraient bientôt en fleur. La vie qui renaissait. Le bonheur de la contempler. L'envie de courir, de sortir hors de cette voiture aussi sinistre qu'un cercueil.

Le Vénérable s'emplit les yeux de ce printemps. La vieille devise maçonnique lui monta aux lèvres : « Point n'est besoin d'espérer pour entreprendre ni de réussir pour persévérer. » Là où il allait, l'espoir n'existait pas. Il lui faudrait l'inventer, le recréer. Il fallait que cette sève ressuscitée pénètre en lui, qu'elle le nourrisse dans les pires moments.

Le visage de sa femme disparue dansa devant ses yeux. Le printemps, c'était sa saison. Ensemble, ils marchaient de longues heures en forêt, guettant l'éclosion des bourgeons, les premières feuilles, les chants d'oiseaux. Elle aurait aimé cette montagne sauvage où l'hiver ne reculait que pas à pas, où chaque pouce de vie devait être gagné avec acharnement, avec patience. Elle aurait souri devant ce printemps où il allait mourir. Où il allait enfin la rejoindre.

Le SS, assis à gauche de Branier, remua. La montagne,

le soleil, les arbres disparurent. Il n'y avait plus que les uniformes noirs, impeccables.

Au sortir d'un dernier virage, Branier découvrit le Burg. Une forteresse médiévale aux tours crénelées, aux murailles épaisses percées de meurtrières. Le portail d'entrée, surmonté d'un poste de garde, était fermé par un pont-levis. Le chauffeur klaxonna à plusieurs reprises. Le pont-levis s'abaissa. Les chaînes, parfaitement entretenues, ne grincèrent pas. Très lentement, la voiture franchit le portail monumental.

Le Vénérable ferma les yeux. Non parce qu'il avait peur. Mais parce qu'il voulait graver en lui une dernière image de la liberté, de la nature, de l'espace. Un dernier souvenir avant de pénétrer dans un enfer d'où personne ne revenait.

CHAPITRE 4

La surprise de François Branier fut totale. Il s'était imaginé un camp de déportés, avec des baraquements gris désespoir, de la boue, des forçats avec des chaînes aux pieds, des miradors. En ouvrant les yeux, il découvrit, au centre de la forteresse, un lourd bâtiment de pierres blanches. Des fenêtres étroites, un perron menant à une unique entrée. Un toit plat, recouvrant un chemin de ronde d'où dépassaient projecteurs et mitrailleuses. Cette tour, d'aspect presque charmant, suffisait à surveiller tout l'intérieur de la forteresse. Dans ce vaste quadrilatère étaient disposés, selon une symétrie rigoureuse, des petits châlets de bois peints en vert, en rouge, en jaune. S'il n'y avait pas eu les armes braquées sur eux du haut de la tour centrale, les SS déambulant dans la lumière pâle de ce jour frileux, l'endroit aurait évoqué une colonie de vacances abritée dans un vieux château pour profiter du bon air de la montagne. Tout autour des châlets, des parterres plantés de fleurs ajoutaient une note de gaieté.

La Mercedes progressa sur le gravier qui recouvrait l'allée menant à la tour qu'elle contourna. Puis elle descendit la pente qui conduisait à un garage souterrain. Branier, très attentif, avait noté de nombreux autres détails. Il les gravait dans sa mémoire. Peut-être lui seraient-ils utiles. D'abord, la hauteur impressionnante du mur

31

d'enceinte surmonté de barbelés, probablement électrifiés. Ensuite, la présence, derrière la tour, de deux bâtiments en dur d'allure rébarbative, dont une caserne pour les SS.

La voiture s'immobilisa à côté d'un camion. Le garage n'occupait qu'une partie du sous-sol, également utilisé comme atelier de mécanique. Il ne régnait presque aucune animation dans le camp. Il flottait une curieuse atmosphère d'irréalité, comme si les nazis et leur forteresse n'étaient qu'illusions.

— Descendez ! ordonna l'officier supérieur.

La voix avait claqué comme un fouet. Le visage s'était durci.

Toujours encadré par ses deux gardes du corps, Branier fut conduit au premier étage de la tour centrale. Il se sentait pris dans un mouvement infernal. On commençait à faire de lui un pantin, sans haine apparente, sans brutalité. Il ne s'appartenait plus.

C'est en butant contre une marche que le Vénérable émergea de son cauchemar. La douleur qui irradia dans les orteils de son pied droit l'arracha à la léthargie qui l'envahissait. Il lutta. Il lutterait. Il nierait cet univers de folie qui tenterait, à chaque seconde, de lui voler sa vie.

François Branier fut introduit dans une vaste pièce. Parquet ciré, murs blanchis à la chaux. Au fond, une très longue table servant de bureau à un SS penché sur des registres. Sur le côté droit, vêtus d'une sorte d'uniforme gris sombre, ceux que le Vénérable n'espérait plus revoir : les six Frères survivants de la loge « Connaissance ».

Disposés en file indienne, tournés vers le bureau du scribe nazi, ils ne l'avaient pas encore aperçu. Le Vénérable fut tenté de se précipiter vers eux, de les embrasser, de leur hurler sa joie. Mais il demeura cloué sur place, comme maintenu par une force d'inertie. En tournant la tête de côté, il comprit que son instinct ne l'avait pas trompé. L'officier supérieur SS le regardait. Il attendait sa réaction. Branier ressentit sa déception. L'Allemand aurait été si heureux de lui voir perdre le contrôle de ses nerfs.

On empoigna Branier et on l'obligea à prendre place en dernière position dans la file indienne. Le Vénérable se trouvait aux côtés de ses Frères, mais ils l'ignoraient. Un silence religieux régnait dans l'austère bureau. Il ne fut troublé que par le choc de talons de bottes sur le parquet. L'officier supérieur se plaça à côté du scribe qui déploya devant lui un nouveau registre, vierge de toute inscription. En haut de la page, il inscrivit *Erkenntnisloge*, loge « Connaissance », Paris ; au-dessous, *Name der Bruder*, noms des Frères.

— Messieurs, annonça l'officier supérieur, nous allons vous enregistrer. Vous indiquerez au Schreiber[1] votre nom, votre âge et votre profession.

La tension monta. Les visages des Frères se fermèrent. Dans quelques instants, ils deviendraient des numéros dans un registre d'extermination, un livre de ténèbres. L'officier supérieur apprécia l'angoisse qui crispait les traits.

Le premier Frère se présenta devant le Schreiber.

— Pierre Laniel, 52 ans, industriel.

Laniel était un petit homme aux cheveux rares, au front étroit. Sans personnalité apparente. Méticuleux, précis, nerveux, il faisait partie de ces êtres, jugés insignifiants, qui sont des meneurs d'hommes sans avoir recours aux coups de gueule ou aux moyens autoritaires.

— Dans quelle branche ?

— Métallurgie.

Une affaire de famille tombée en désuétude que Pierre Laniel avait redressée à la force du poignet.

— Je dois exiger un renseignement beaucoup plus

---

1. Le secrétaire.

important, susurra l'officier supérieur d'une voix pointue où perçait l'excitation. Quels sont vos grades et fonctions dans la loge « Connaissance » ?

— Comprends pas.

Le nazi fixa l'industriel avec sévérité.

— N'essayez pas de jouer à ce jeu-là, Laniel. Nous savons tout. Si vous biaisez, ça retombera sur vous tous !

— J'ai été Maître maçon, d'accord, mais vous savez bien que ma loge ne se réunit plus depuis le début de la guerre.

— Mensonge ! s'emporta l'Allemand.

Pierre Laniel demeura impénétrable. Révéler qu'il était Maître n'apprenait rien au nazi qui possédait certainement les noms, adresses et grades de la plupart des francs-maçons français. Les fichiers avaient été transmis à la Gestapo par des « Frères » soucieux d'assurer leur sécurité. En revanche, la nature de ses fonctions initiatiques faisait partie des secrets qu'il n'était pas décidé à révéler à un profane, fût-il bourreau. En répondant ainsi, Laniel indiquait à ses autres Frères le chemin à suivre.

— Mensonge ! répéta l'officier supérieur. « Connaissance » n'a jamais cessé de se réunir ! Quand nous vous avons tous arrêtés, vous vous apprêtiez à célébrer une « tenue ».

— Pas du tout, rétorqua Laniel. Une simple réunion entre copains qui s'étaient perdus de vue. « Connaissance » n'existe plus. Sinon, nous aurions envoyé les convocations obligatoires au secrétaire de la Grande Loge. Obligatoires, quelles que soient les circonstances.

Branier retint son souffle. Il espérait que le SS ignorait la position administrative de « Connaissance ». Bien avant le début de la guerre, le Vénérable Branier avait rompu tout lien avec les différentes instances administratives des obédiences pour permettre à « Connaissance » de travailler en paix loin des combines politiques, de la chasse aux honneurs, des querelles d'individus.

L'argument technique avancé par Laniel ne troubla pas longtemps le SS.

— Vous êtes une loge sauvage, vous travaillez dans l'ombre... N'essayez pas de m'égarer. Ici, vous finirez par tout avouer.

Le Vénérable perçut à quel point cet homme violent, qui cachait mal sa brutalité sous un semblant de politesse, pouvait être redoutable. Mandaté par Himmler, il avait réussi à capturer les Frères de « Connaissance » après plusieurs mois d'effort.

Un deuxième Frère se présenta devant le Schreiber, tandis qu'un soldat obligeait Pierre Laniel à se mettre face au mur, de l'autre côté du bureau.

— Dieter Eckart, 43 ans, professeur d'histoire, Maître maçon.

Le Vénérable sourit intérieurement. Eckart alignait son attitude sur celle de Laniel. Répondre aux questions posées, sans agressivité, sans veulerie.

— Allemand... vous êtes allemand, nota l'officier supérieur.

— Mère allemande, père français. Mon passeport est français.

Dieter Eckart était grand et mince. Il avait une prestance aristocratique. Distant, froid, souvent jugé hautain, il inspirait davantage la crainte que l'affection. Sa crinière de cheveux blancs, son visage fin et anguleux, ses yeux perçants évoquaient un personnage d'inquisiteur.

— Vos fonctions dans la loge ? interrogea le SS.

— La loge a cessé de fonctionner depuis longtemps.

L'officier supérieur nazi ne se préoccupa plus d'Eckart. Deux soldats s'emparèrent de lui et le placèrent à côté de Pierre Laniel. Furtivement, les deux Frères échangèrent un regard complice.

Le troisième Frère se présenta devant le Schreiber qui écrivait les réponses d'une écriture régulière.

— Guy Forgeaud, 40 ans, mécanicien auto, Maître maçon.

Forgeaud était un grand gaillard sympathique, costaud, décontracté. Enfant de l'Assistance publique, il n'était pas très sûr de son âge. En le voyant, avec sa face rougeaude, épaisse, son nez trop gros, ses lèvres charnues, personne n'aurait pu soupçonner qu'il s'occupait d'autre chose que de bricoler des moteurs en pensant aux filles ou à un bon gueuleton.

— Forgeaud... vous avez refusé le service du travail obligatoire. Vous n'avez jamais aimé les formulaires officiels, je crois... Impossible de savoir à quel moment vous avez adhéré à la loge « Connaissance »...

Guy Forgeaud sembla ennuyé, pataud.

— A quel moment... je ne m'en souviens plus... Je n'ai pas de mémoire. J'ai quitté l'école à dix ans, vous savez...

D'un mouvement de tête, l'officier supérieur ordonna à ses hommes d'aligner Forgeaud contre le mur.

Le Schreiber tint son stylo levé, attendant la déclaration du quatrième Frère qui se présentait devant lui.

— André Spinot, 35 ans, fabricant de lunettes, Compagnon.

Un léger sourire anima le visage de l'Officier supérieur.

— Compagnon... vous n'avez pas encore réussi à devenir Maître ?

André Spinot était maigre, petit, trapu. Il avait le poil très noir et une calvitie naissante. Il donnait l'impression de n'être jamais ni tout à fait propre, ni correctement rasé. Ses yeux reflétaient une curiosité inquiète. Il avait la plus grande difficulté à tenir en place. Sa langue claqua dans sa bouche, mais aucune parole n'en sortit.

— Pas d'autre précision ?

Spinot fit « non » de la tête. Il alla rejoindre ses Frères contre le mur tandis qu'un colosse prenait sa place devant le Schreiber.

— Raoul Brissac, 25 ans, tailleur de pierre, Compagnon franc-maçon et Compagnon du devoir dit « la Bonne Etoile ».

Brissac respirait la santé. Il avait passé plus de jours et de nuits au grand air que sous un toit. Il était fier, vif, sûr de sa puissance.

— Je croyais que les Compagnons du devoir et les francs-maçons ne s'entendaient pas ? s'étonna l'Officier supérieur.

— Il y a des imbéciles partout, répondit Brissac.

Un silence crispé s'établit. Les SS se raidirent. Le Schreiber garda le nez sur son registre. Le Vénérable s'attendait à une explosion de rage. Une fois de plus, Brissac avait parlé trop vite et frappé trop fort. Il ne redoutait ni Dieu ni Diable. Il se sentait capable d'affronter n'importe qui, même un officier supérieur SS au cœur d'un bagne nazi. Son imprudence risquait de coûter cher à la loge entière.

Il ne se passa rien. Le Compagnon Brissac alla prendre la pose contre le mur. Lui succéda un sixième Frère, le dernier précédant le Vénérable.

— Jean Serval, 25 ans, écrivain. Apprenti.

Serval était très pâle. Plutôt grand, les cheveux châtains, le front dégarni, les épaules rentrantes, les jambes grêles, il avait l'air d'un adolescent écorché, mal nourri.

— Ecrivain... Vous avez publié des livres ?

— Le premier devait paraître en novembre 1939. Mais la guerre...

— Sur quel sujet ?

— Un roman d'amour.

— Apprenti... Vous êtes donc entré récemment à « Connaissance » ?

— Juste avant que la loge n'interrompe ses travaux, il y a plus de cinq ans.

Le SS jugea que le jeune homme était le maillon le plus faible de la chaîne. Emotif, hypersensible, pas de résistance physique.

Jean Serval prit sa place dans l'alignement. François Branier demeurait seul. L'officier supérieur lui fit signe d'avancer et de se présenter au Schreiber. Le Vénérable se jugeait indécent, avec son costume et son imperméable, alors que ses Frères avaient revêtu l'uniforme gris des prisonniers de la forteresse.

Son regard croisa celui du SS. Il y déchiffra sa condamnation.

Ce n'était plus d'espoir qu'il lui faudrait se nourrir, mais d'éternité. A condition que le Grand Architecte lui donne la force de vivre le présent le plus désespéré.

— François Branier, 55 ans, médecin, Vénérable Maître.

Tous les Frères tournèrent la tête. Les soldats les obligèrent à reprendre la position, face au mur. Mais ils avaient eu le temps d'apercevoir leur Vénérable.

Le Schreiber termina d'écrire, appliqua un buvard sur la page et referma le registre.

— C'est parfait, messieurs, conclut le SS. Vous vous êtes montrés coopératifs. Mais j'attends mieux de vous. Beaucoup mieux.

CHAPITRE 5

Jean Serval cria. Une violente douleur dans les reins. Un coup de crosse sec, profond. La première manifestation de brutalité. Et un ordre, en allemand, que le Vénérable ne comprit pas. Les Frères avaient espéré que le Vénérable allait les rejoindre, que la loge serait de nouveau reconstituée. Espoir déçu. Les SS leur firent quitter la salle où ils étaient devenus des matricules. François Branier était resté immobile face au Schreiber et à l'Officier supérieur.

— On conduit vos Frères à leur block, monsieur Branier. J'espère que vous saurez leur inculquer un meilleur sens de la discipline. Je les ai trouvés arrogants. Le commandant du camp ne tolérera pas longtemps une telle attitude.

Le SS, mains serrées derrière le dos, martelant le parquet de coups de talon vigoureux, sortit de la salle. Deux soldats obligèrent Branier à le suivre. Ils montèrent jusqu'au dernier étage de la tour. Suivre, monter, descendre, redescendre, remonter, suivre... Y aurait-il un autre destin ? Le Vénérable progressait entre des murs gris. Les marches de l'escalier de bois crissaient sous ses pas. Toujours la même angoisse diffuse qui collait à la peau. Pas suffisamment de bruits normaux, de respirations humaines. Ces soldats à l'uniforme noir avaient perdu leur âme.

Ils ne pensaient plus, n'éprouvaient plus de sentiments, ne savaient plus ni aimer ni haïr. Ils obéissaient aux ordres parce que c'étaient des ordres. Parce que c'était la doctrine.

Pourtant, comme devant tout être qu'il rencontrait, le Vénérable se posait la question : ce soldat, prêt à l'abattre, avait-il la possibilité de devenir conscient, pourrait-il franchir la porte du temple, accéder à l'initiation ? D'ordinaire, François Branier recevait un écho, même négatif. Mais, cette fois, il n'éprouva qu'un vide glacé. Il n'y avait ni cœur ni entrailles sous ces uniformes. Des robots à visage humain. Quel diable avait réussi à les créer ? Quelle puissance maléfique avait conçu cette forteresse où la plus riche des vies intérieures devait se désagréger en quelques heures et tomber en poussière ? Comme médecin, François Branier avait connu la souffrance sous toutes ses formes. Il avait été parfois impuissant à la soulager. Mais c'était la première fois qu'il rencontrait le Mal, sans masque.

Personne ne l'avait frappé. Il portait encore son costume d'homme libre. Mais le Mal était là, insidieux, gluant.

Sur le palier du dernier étage, une porte ouverte. L'officier supérieur fit entrer le Vénérable dans un bureau d'assez grande dimension. Les murs étaient couverts de photographies sous verre. Portraits de Hitler, de Himmler, de bataillons SS, de foules saluant le Führer, mais aussi l'intérieur de la forteresse sous tous les angles. Les « chalets » des prisonniers, la caserne SS, les douches, les barbelés, la cour...

Assis dans un fauteuil ancien à haut dossier, le commandant du camp lisait un rapport que lui avait transmis son aide de camp, un jeune homme blond, debout dans une attitude figée. Sur le lourd plateau de chêne du bureau, des bougeoirs en argent massif. Le commandant du camp aimait les pièces rares. Il leva les yeux vers son visiteur.

— Monsieur Branier... heureux de vous accueillir dans ce château du Reich.

Le cauchemar doucereux continuait. Ce n'était plus un bagne, mais un château. Le chef du camp avait l'allure d'un fonctionnaire modèle, avec son expression bonasse, sa chevelure grisonnante, son air plutôt chaleureux. Branier aurait presque cru à un rendez-vous d'affaires.

— Veuillez nous laisser, Klaus. J'interrogerai moi-même monsieur Branier. Mon aide de camp notera ses réponses.

La voix du commandant s'était faite coupante. L'officier supérieur, dont le Vénérable apprenait le prénom, salua en claquant des talons et sortit du bureau. Branier eut le sentiment qu'il n'appréciait guère cette éviction.

— Vous resterez debout, monsieur Branier. Dans ce bureau, je suis le seul à être assis. Question de hiérarchie.

Le simple fait de prendre conscience qu'il était debout lui fit mal aux jambes. Mais le Vénérable détourna son attention vers l'aide de camp, plume d'oie en main, qui s'était placé devant un lutrin sur lequel était posé un registre noir. « Cette fois, pensa François Branier, on bascule dans la folie. Un tyran dans un décor du Moyen Age. Un SS qui joue les moines copistes pendant que son chef se prend pour un seigneur. »

— Qui vous a permis de garder ces vêtements ?

— Personne en particulier, répondit François Branier.

Le commandant alluma une cigarette à la flamme d'une bougie. Il prenait son temps. Un serpent qui hypnotisait sa proie.

— Nous vous avons cherché longtemps, monsieur Branier... Qu'avez-vous fait ces derniers mois ?

— J'ai soigné des malades. Je suis médecin.

Le commandant écrasa sa cigarette. Son aide de camp

n'osa pas enregistrer la réponse. Le Vénérable retint son souffle.

— Quel genre de malades ? Des soldats allemands, peut-être ? Des soldats que vous avez « soignés » en les faisant passer de vie à trépas ? Je crois que vous appréciez mal votre situation, monsieur Branier. Le temps des mensonges est terminé. Ici, nous n'admettons que la vérité. Vous vous cachiez parce que vous accomplissiez des actions malhonnêtes. Vous êtes franc-maçon. Pis, Vénérable Maître d'une loge. Pis encore, d'une loge qui croit pouvoir garder son secret. Il ne doit pas y avoir de secrets pour les hommes de l'âge nouveau. Le Reich ne tolère pas les comploteurs.

L'aide de camp notait fébrilement le discours de son maître. Le Vénérable étouffait. Il aurait préféré n'importe quel cachot à ce bureau. Tenir bon. Ne penser à rien d'autre.

— Je suis persuadé, reprit le SS, que vous n'avez pas perçu la grandeur de l'ère nouvelle qui est née. Notre Führer n'est pas un homme politique décadent et pourri comme il en existait dans votre Europe du vice. C'est le grand prêtre d'une vraie religion. Les chrétiens et les juifs sont sataniques. Les francs-maçons aussi. Il faudra les exterminer. D'autres que moi s'en chargent. Ici, monsieur Branier, vous êtes dans un endroit privilégié. J'ai sélectionné des individus d'élite. Ceux qui ont des pouvoirs et des secrets.

— Désolé de vous décevoir, intervint le Vénérable. Aucun de nous ne détient de pouvoir en particulier. Le secret de ma loge a disparu quand elle a cessé de se réunir, au début de la guerre.

Le chef du camp décroisa les jambes et frappa du poing sur la table de chêne.

— La guerre ! Vous n'avez que ce mot-là à la bouche ! Il n'y a plus de guerre. Il y a la victoire du Reich. Pourquoi continuer à mentir ? Vous croyez que votre système de défense a une réelle valeur ? Je ne suis pas pressé... vous finirez par parler. Par tout me dire. Pour soulager votre conscience.

Le commandant se tourna vers son aide de camp.

— Faites conduire le Vénérable Branier à son block.

Toujours accompagné par deux SS, le Vénérable fut mené au block rouge. Il tenta de se fermer au monde démoniaque qui l'entourait, de ne pas laisser entrer en lui les murs gris, les marches grinçantes, le sol de la cour, les barbelés, de ne pas devenir sa propre prison.

Le block rouge ressemblait à un petit chalet. De près, on voyait qu'il avait été construit à la hâte. Certaines lattes de bois étaient disjointes, laissant passer l'air glacé. Les deux fenêtres donnant sur la cour étaient mal ajustées. Le toit était percé en certains endroits. Du bricolage. Du vite fait.

La porte n'avait pas de poignée. Un SS l'ouvrit d'un coup de botte. Le Vénérable entra. Une grande pièce nue, d'environ trente mètres carrés. Un sol de béton. Dessus, sept paillasses.

Ils étaient tous là. Pierre Laniel l'industriel, Dieter Eckart le prof, Guy Forgeaud le mécanicien, André Spinot le lunetier, Raoul Brissac le tailleur de pierre, Jean Serval l'écrivain. Ceux qui avaient survécu au néant.

La porte claqua derrière le Vénérable. Enfin, il était seul avec ses Frères. Dieter Eckart, très ému, se leva le premier et se plaça face à François Branier.

— Heureux de te revoir, Vénérable Maître.

Les deux hommes se donnèrent l'accolade fraternelle et s'embrassèrent trois fois. Les autres Frères agirent de même. André Spinot pleurait. De peur et de joie. Le Vénérable sentit qu'ils retrouvaient confiance, que sa présence leur redonnait un équilibre indispensable, comme s'il était capable d'apporter une solution, de leur ouvrir un chemin vers la liberté. Même s'il n'existait pas. Quels que fussent ses doutes et ses tourments, le Vénérable ne devait pas les avouer. La charge qui pesait sur ses épaules lui parut encore plus écrasante.

— Mes Frères, demanda le Vénérable, formons la chaîne d'union.

A l'intérieur d'un block d'une forteresse nazie perdue dans des montagnes inconnues, sept francs-maçons formèrent la chaîne fraternelle célébrée, selon la tradition, depuis le commencement du monde. Leurs pieds se touchant, leurs mains s'unissant, ils fermèrent les yeux pour mieux communier, mieux sentir la puissance vitale de leur communauté à nouveau réunie.

— Puisse le Grand Architecte de l'Univers être toujours présent parmi nous, invoqua le Vénérable Maître.

François Branier, comme ses Frères, ressentait la formidable chaleur émanant de ce petit groupe d'hommes pris dans les griffes d'un seul monstre. Dès cet instant, la loge « Connaissance » existait en ce lieu, en cet Orient d'exil ; elle y exerçait sa pleine et entière souveraineté. Les sept Frères prisonniers étaient de nouveau libres, aptes à transmettre.

Un crissement provenant du dehors. Des bottes sur les graviers de la cour. Les Frères quittèrent la chaîne. La porte du block s'ouvrit. La silhouette de l'officier supérieur SS apparut. Il se tint sur le seuil, jambes légèrement écartées, bras croisés derrière le dos. Ironique, il contempla les Maçons comme s'il était informé du rite qu'ils venaient de célébrer. Désormais, le Vénérable devrait prendre des précautions. Mais comment regretter d'avoir cédé à une impulsion qui les avait unis comme un seul être ?

— Vous remettrez à l'instant tout ce que vous portez de métallique sur vous. Montres, alliances, chevalières...

L'officier supérieur laissa passer un SS portant une corbeille d'osier. Un homme bedonnant, mal rasé, le front très large enlaidi par une tache de vin.

Le Vénérable fut le premier à s'exécuter. Il déposa sa montre. Il n'avait jamais porté d'alliance. Ses Frères se montrèrent aussi dociles. La corbeille fut vite emplie. Pierre Laniel, l'industriel, quitta à regret l'alliance qu'il portait depuis vingt-cinq ans. Il ne reverrait jamais son épouse, il le sentait. Il aurait voulu garder ce souvenir d'elle, pouvoir fixer son regard sur cet anneau de métal doré quand surviendraient les derniers moments. En l'abandonnant, il fut comme mutilé.

L'intendant s'arrêta devant Raoul Brissac, le tailleur de pierre. D'un geste vif, il lui arracha l'anneau de métal qui pendait à son oreille gauche. Le sang gicla. Le SS brandit son butin auquel était collé un peu de peau puis le jeta dans la corbeille.

— J'avais donné un ordre, précisa l'officier supérieur.

Brissac, au prix d'un effort indicible, parvint à ne pas hurler de douleur. Il était prêt à se ruer sur l'intendant pour le cogner à mort. Mais son regard avait croisé celui du Vénérable. Le Maître de la loge lui demandait de ne pas réagir. La hiérarchie de la communauté, librement consentie, ne se discutait pas. Les yeux levés vers le plafond du block, se mordant les lèvres jusqu'au sang pour oublier la souffrance qui lui enflammait la tête, Raoul Brissac ne broncha pas. L'intendant lui avait volé son symbole de Compagnon initié. L'anneau que lui avait remis son maître en taille de pierre lorsqu'il avait accompli son chef-d'œuvre, un escalier à double hélice. Juste avant de rencontrer François Branier et d'être admis dans la loge « Connaissance ».

L'intendant, visiblement déçu par la mollesse de Brissac, tourna les talons, suivi de Klaus. La porte du block claqua.

Les tortionnaires étaient partis. Les Maçons restèrent immobiles pendant de longues secondes. Le Vénérable s'arracha le premier à cette torpeur. Il examina aussitôt la blessure de Raoul Brissac qui gardait les yeux fixes. Le Compagnon tiendrait le coup.

— Pas trop grave, commenta le Vénérable qui tamponna la plaie avec un mouchoir propre, l'une de ses dernières richesses.

Brissac avait une résistance extraordinaire. Mais François Branier redoutait sa réaction à froid. Le Compagnon n'admettait ni la tolérance des trouillards ni le pardon des offenses. Il faudrait le convaincre, malgré le geste cruel de l'intendant, de penser d'abord à la communauté.

— Ils vont tenter de nous séparer, Raoul, de nous dresser les uns contre les autres. Ils s'attaqueront tour à tour à chacun d'entre nous. Si tu t'étais rebiffé, ils nous auraient tous tabassés. Ne répondons pas à leurs provocations.

— Tant que ce sera possible, observa Laniel.

— Même au-delà, rétorqua le Vénérable. Ici, nous sommes dans l'impossible, dans l'impensable. Adaptons-nous, Pierre. Nous en avons la force.

Pierre Laniel comprit le Vénérable à demi-mot. François Branier détenait le secret du Nombre. L'essentiel était de préserver la personne du Maître de la loge. Mais ce dernier ne songeait qu'à sauver la vie de ses Frères.

— Nous sommes foutus, confessa André Spinot, le lunetier, qui s'effondra dans un angle de la pièce et se prit la tête dans les mains.

— C'est probable, approuva Dieter Eckart. Mais il faudra quand même se battre.

— Comment ? demanda Jean Serval, l'Apprenti.

— Evasion.

— Ne rêvez pas, objecta Guy Forgeaud, le mécanicien. On ne sortira pas d'ici en escaladant les murs.

On pouvait faire confiance au jugement de Forgeaud. C'était un bricoleur de génie.

— Tu as une idée ? interrogea le Vénérable.

— Pas encore. Il faut mieux connaître les lieux. Nous n'aurons pas deux chances.

— Tout dépend du moment où commenceront les vrais interrogatoires, nota Jean Serval, exprimant tout haut l'angoisse latente.

— Oui et non, commenta Dieter Eckart, qui s'était placé dans l'angle d'une fenêtre pour observer ce qui se passait dans la cour. La vraie question, c'est ce qu'ils attendent de nous.

Toutes les têtes, même celle de Raoul Brissac, se tournèrent vers le Vénérable. Si quelqu'un savait, c'était lui. Même s'il ne pouvait tout expliquer, en raison de son serment, il devait donner des précisions.

François Branier arbora sa mine d'ours bourru. Réélu Vénérable de « Connaissance » à chaque Saint-Jean d'Hiver depuis quinze ans, il avait espéré transmettre bientôt sa charge à l'un des maîtres de la loge. La Gestapo en avait décidé autrement.

— Notre loge ne ressemble pas tout à fait aux autres, commença le Vénérable. Elle est dépositaire d'un mystère. Si nous mourons, il mourra avec nous.

— Depuis que tu diriges cette loge, observa Dieter Eckart, nous avons modifié les méthodes de travail. Nous sommes revenus aux sources. Nous ne construisons plus de cathédrales de pierre, mais nos projets ne sont pas moins importants.

— S'il reste quelqu'un pour les mener à terme, précisa Pierre Laniel, amer. Nous ne sommes plus que sept. Les quatre autres Apprentis, de même que trois Compagnons et quatre Maîtres sont morts ou disparus. Et nous-mêmes... on ne vaut guère mieux.

— Qui nous a vendus ? demanda Raoul Brissac d'une voix blanche.

Le sang s'était arrêté de couler. Mais le visage du tailleur de pierre était creusé par la douleur.

— Un franc-maçon, répondit le Vénérable. Celui qui nous avait prêté le local.

Un piège. Ils étaient tombés dans un piège tendu par un « Frère ». Une larme pointa à l'œil de Dieter Eckart qui la fit disparaître du revers de la main. Laniel sentit son courage se diluer. Forgeaud regretta de n'être pas déjà mort. Brissac en oublia son oreille mutilée. Spinot garda les yeux fermés. Serval, hébété, regardait sans rien voir.

— Nous sommes seuls, dit le Vénérable. Totalement seuls. Et nous l'avons toujours été.

CHAPITRE 6

Ils restèrent plus d'une heure sans parler. Le Vénérable les laissa récupérer. Ils s'étaient assis le long des murs du block, chacun attendant qu'un Frère découvre une raison d'espérer. Branier les observa. Pierre Laniel... humain, meneur d'hommes, capable de tout endurer, parfois désarmé par le Mal. Un Maître confirmé, apte à recevoir le secret. Dieter Eckart... une profonde sensibilité sous son masque aristocratique, une prodigieuse intelligence. Un futur Vénérable. Guy Forgeaud... le plus habile. Capable de se débrouiller dans n'importe quelle situation. L'anarchiste de génie, profondément attaché à la communauté. André Spinot... le plus sensible et le plus fragile. Meurtri par la vie, mille fois brisé, jamais abattu. De longues années de travail pour maîtriser son tumulte intérieur. Raoul Brissac... un authentique Compagnon du Devoir qui avait voulu connaître aussi la Franc-Maçonnerie. Une transformation difficile, de la révolte, un caractère impulsif, un cœur d'or, la plus farouche des volontés de vivre. Jean Serval... le plus brillant des Apprentis, le débutant capable d'aller jusqu'au bout du chemin s'il ne se dispersait pas.

Il ne les jugeait pas. Il les aimait. C'est pour cela qu'il devait être lucide. Des Frères, oui, des Frères en esprit qui s'étaient librement choisis pour parcourir ensemble le sen-

49

tier étroit menant des ténèbres à la lumière, des Frères qui se terraient aujourd'hui comme des bêtes menées à l'abattoir.

— Ce salaud, je le buterai, dit brusquement Raoul Brissac, rompant le silence. Un coup de poing sur le crâne. Un seul. Il pétera comme un fruit pourri.

— Tu n'as pas le droit de parler comme ça, intervint Laniel. Il faut qu'il s'explique, même s'il nous a trahis. C'est un Frère, il...

— Non, le coupa André Spinot, toujours prostré, mais dont la voix résonna avec une netteté singulière. La Franc-Maçonnerie est morte. Les Frères n'existent plus. Ils n'ont plus rien à dire, plus rien à prouver. Les loges sont des coquilles vides. Elles ont été balayées par le premier vent. Nous, nous allons crever parce que nous sommes les derniers à détenir le secret.

— Tu as raison, approuva Dieter Eckart.

Le professeur ne leur avait jamais paru aussi sûr de lui, aussi tranquille.

— Drôle de camp et drôles d'Allemands, observa Guy Forgeaud, presque goguenard, comme à son habitude.

— Pourquoi dis-tu ça ? interrogea Pierre Laniel.

— Les frisés adorent balancer leurs titres. Ils sont tous Oberstampführer ou quelque chose d'approchant. Ils adorent la discipline, le doigt sur la couture du pantalon. Pas question de leur répondre. Ici, il suffit d'être poli et de les écouter parler français presque sans accent.

— Ils ont peur, dit le Vénérable.

Six paires d'yeux étonnés le contemplèrent.

— Ils estiment que nous avons des pouvoirs. Ils sont tout-puissants, mais on ne sait jamais...

— Et c'est vrai ? interrogea Serval, l'Apprenti, mi-ironique mi-sérieux, nous avons des pouvoirs ?

— Pas suffisamment pour nous faire sortir d'ici... Je compte davantage sur notre vigilance pour utiliser les moindres possibilités d'évasion.

— Il n'y en a pas, jugea Spinot, le lunetier.

— Ta gueule ! hurla Brissac, se levant d'un bond et se plantant devant Spinot. Commence pas à nous foutre le bourdon !

— Ce n'est que la vérité, rétorqua Spinot, crispé.

— Ça suffit, intervint le Vénérable. Vous n'avez pas à vous parler sur ce ton. Nous diviser serait la pire des bassesses. Ils n'attendent que ça.

— Moi, je ne passerai pas ma vie à attendre. D'abord j'ai envie de pisser.

Raoul Brissac ouvrit la porte du block.

L'air libre.

Un ululement de sirène. Des claquements de culasses. Un ordre glapi par haut-parleur : « Halt ! » Le Compagnon se figea, comme dégrisé. Plusieurs SS sortirent de la caserne en courant. Ils l'entourèrent, leurs armes braquées vers lui. Une fureur démente monta dans les veines de Brissac. Il était prêt à se battre, à mains nues, contre ces spectres.

— Fais pas le con, Raoul ! hurla Guy Forgeaud.

— Un problème, Brissac ?

L'officier supérieur, narquois, à l'abri derrière ses hommes, examinait le Compagnon comme un animal pris au piège.

— Besoin naturel.

L'officier supérieur donna un ordre en allemand à deux de ses hommes. L'un d'eux poussa Brissac dans le dos, l'autre lui indiqua la direction du block sanitaire.

La porte du block rouge fut refermée.

— Et si Raoul ne revenait pas ? demanda Pierre Laniel, la gorge serrée.

— Unissons nos cœurs en fraternité, recommanda le Vénérable, comme si ces paroles rituelles pouvaient conjurer la peur, comme si elles pouvaient voler au secours d'un Frère en détresse. Il voyait Raoul tabassé à coups de crosse, le visage en sang, finissant quand même par hurler...

Cinq minutes plus tard, la porte du block rouge s'ouvrit à nouveau. D'abord, un uniforme SS. Puis Raoul Brissac, intact.

Quand ils furent de nouveau entre eux, le Compagnon laissa fuser un long soupir. Lui aussi avait cru qu'il ne reviendrait pas.

— Complètement dingue ! nota Guy Forgeaud. On a même droit à l'hygiène. C'est peut-être un chalet de vacances, après tout... d'ici à ce qu'ils nous apportent le petit déjeuner au lit.

— Tu as pu observer ? demanda le Vénérable à Brissac.

— Oui... pas brillant. Pas question d'escalader les murs. Trop hauts. Au sommet, des barbelés. Sûrement électrifiés. La caserne SS est à côté de notre block. Sur la droite, les pissotières. A côté, les douches. Peut-être un autre bâtiment dans un renfoncement. Rien vu d'autre.

— Pas aperçu d'autres prisonniers ?

— Non. Mais ils sont peut-être enfermés dans des blocks. Des frangins, qui sait... C'est peut-être un bagne pour francs-maçons, ici...

Le Vénérable sentit qu'une panique sourde gagnait ses Frères. Si Raoul Brissac avouait son impuissance, c'est qu'ils n'avaient guère de chance.

— Nous allons tenir une réunion de Maîtres, annonça-t-il. Les autres Frères surveilleront la porte et les fenêtres.

La vie reprenait un cours normal. Dès qu'une décision à prendre engageait la vie de la communauté, le Vénérable avait le devoir de convoquer la « chambre du milieu », composée des Maîtres de la loge. Depuis toujours, elle était la seule assemblée souveraine des confréries initiatiques. Une règle d'or : l'unanimité.

Quatre Maîtres de la loge avaient échappé à la tourmente : le Vénérable Branier, Pierre Laniel, Guy Forgeaud, Dieter Eckart. Ce dernier était chargé de l'enseignement initiatique proposé aux Compagnons. Guy Forgeaud remplissait une tâche comparable auprès des

Apprentis. Laniel veillait à la stricte application de la Règle. Quand la « chambre du milieu » se réunissait, Compagnons et Apprentis sortaient du temple. Cette fois, dans l'espace nu du block rouge, ils se contentèrent de tourner le dos aux trois Maîtres qui formaient une assemblée secrète dans l'un des angles de leur prison.

— A mon coup de maillet, dit le Vénérable, nous sommes « en chambre du milieu ».

François Branier frappa du poing droit sur le mur. Il n'avait ni maillet, ni tablier, ni compas, ni équerre, ni épée flamboyante, ni autel... c'était la « tenue » la plus pauvre qu'il ait jamais célébrée.

Avec son costume fripé, il se sentait presque indécent par rapport à ses Frères, affublés de leur uniforme grisâtre.

— Mes Frères Maîtres, nous avons une décision importante à prendre. Selon notre Règle, je dois vous consulter et soumettre mes propositions au vote.

Pierre Laniel jugeait leur attitude ahurissante. Ils étaient là, tous les quatre, fantômes de francs-maçons égarés dans l'enfer. Mais des fantômes qui célébraient un rite squelettique... Laniel crut qu'il devenait fou. Il avala difficilement sa salive. Le cadre habituel d'une tenue maçonnique, la magie des costumes, des symboles lui manquaient trop. La froideur frustrante du block l'empêchait de se concentrer.

Le Vénérable perçut le trouble de son frère Laniel. Il n'était pas persuadé que le calme apparent des deux autres Maîtres ne cachât point une angoisse aussi profonde. Lui-même sentait peu à peu l'envahir une peur poisseuse.

— Lorsque nous avons été arrêtés par la Gestapo, reprit-il, nous devions procéder à l'élection du nouveau Vénérable de la loge. Conformément à la Règle, je remets ma charge entre vos mains. Nous ne sommes plus que quatre Maîtres, seuls habilités à voter. La procédure est valable, à condition de respecter la loi de l'unanimité. Le lieu où nous nous trouvons est devenu le temple. Rien d'autre. Même si le rite de transmission se réduit au strict minimum, il sera accompli dans sa plénitude. Je demande à un candidat de se déclarer.

Guy Forgeaud, trop jeune Maître, n'avait pas rempli suffisamment de fonctions dans la loge pour devenir Vénérable. Pierre Laniel évita de croiser le regard de François Branier. Jamais il n'aurait cru être en position d'accéder à ce poste mystérieux où étaient données les clés ultimes de l'initiation. La position de Maître lui suffisait amplement. Il n'estimait pas avoir encore percé tous ses secrets. Bien sûr, il était chef d'entreprise. Il avait appris à diriger des hommes, qu'ils soient ingénieurs ou ouvriers. Il avait su se faire aimer et se faire craindre, devenir l'axe d'un édifice social où chacun trouvait sa place. Combien de conflits quotidiens n'avait-il pas résolus en se montrant tantôt inflexible, tantôt diplomate ? Il y avait eu des crises, des passages difficiles, mais il s'en était toujours sorti. Laniel croyait connaître assez bien les hommes, leurs passions, leurs défauts, leurs ambitions, leur grandeur, souvent inattendue. Mais diriger des Frères, les orienter, servir de médiateur entre eux et le Grand Architecte de l'Univers... de cela il ne se sentait pas encore capable. Le seul qui pourrait succéder à François Branier, c'était Dieter Eckart.

Les yeux mi-clos, la tête légèrement penchée en avant, Dieter Eckart semblait méditer. Son esprit était loin, très loin de la forteresse nazie. Il disposait d'un tel pouvoir de concentration, d'une telle force de caractère qu'il parvenait à s'abstraire des pires situations. Pas plus que Laniel, il n'avait oublié le principal objet de la « tenue » que la loge devait célébrer le soir de la rafle. Eckart savait que les Frères de « Connaissance » lui accordaient estime et confiance. Il savait aussi qu'il était le successeur souhaité par Branier lui-même, même si le Vénérable en fonction n'avait pas le droit de le désigner comme tel. Certes, il avait imaginé un autre endroit pour aborder pareille question. Même dans la clandestinité, la loge avait su obtenir des locaux décents pour y faire vivre la magie rituelle. Mais ici... Eckart songea à ces quelques hommes qui, depuis la naissance de l'initiation, avaient reçu la charge de diriger une communauté comme celle-ci. Quels que fussent leur race, leur civilisation, leur caractère, ils avaient été choisis pour transmettre la lumière. Pour faire vivre la vie et mourir la mort.

— Vénérable Maître, indiqua Dieter Eckart, nous savons tous que le Vénérable de « Connaissance » n'est pas un chef de loge ordinaire. Ce n'est pas seulement d'une passation de pouvoirs qu'il est question. Il y a le secret du Nombre, la clef de voûte de la confrérie.

Branier acquiesça d'un hochement de tête.

— Appliquons donc la Règle, proposa Eckart. Votons en connaissance de cause.

François Branier se sentit soulagé. Il n'était pas mécontent d'être délivré d'un immense poids.

— Je déclare vacante la charge de Vénérable Maître. Je demande à l'un des Maîtres confirmés de la loge, ayant assisté et participé à tous ses travaux, étant reconnu comme tel par ses Frères en maîtrise, ayant dirigé les travaux des Compagnons et des Apprentis de remettre sa candidature entre les mains du Grand Architecte de l'Univers.

Pierre Laniel avait renoncé. Il préférait rester dans l'ombre et seconder le futur Vénérable. Branier, pour qui une page était déjà tournée, attendait que Dieter Eckart se manifestât. Enfin, il prit la parole.

— Pour la prochaine année de lumière, je propose comme Vénérable Maître... François Branier.

Dieter Eckart s'était exprimé avec une joie calme, retenue, sur un ton qui n'appelait pas de réplique. Pierre Laniel, d'abord surpris, estima que son Frère avait eu une excellente intuition. Guy Forgeaud ne dissimulait pas sa joie. Il approuva d'un sourire.

— J'appuie cette candidature, ajouta-t-il. Mon Frère François, peux-tu nous assurer que tu te sens la force spirituelle et physique de remplir tes fonctions ?

François Branier s'était tassé sur lui-même, la tête rentrée dans les épaules, l'œil mauvais. Ses Frères connaissaient bien cette attitude. Elle signifiait que le Vénérable réfléchissait sans plaisir.

— Et si je vous avouais que je n'ai plus cette force-là ? Que je suis un vieux bonhomme usé, fatigué, incapable de diriger cette loge plus longtemps sans faire un maximum de crétineries ?

Pierre Laniel fut ébranlé. Un Vénérable avait la possibilité de remettre sa charge entre les mains de ses Frères s'il s'estimait incapable de la remplir.

— Si tu nous avouais cela, répondit Dieter Eckart, nous ne te croirions pas. Tu n'as jamais été en meilleure forme. L'âge n'a aucune prise sur toi. Impossible de renoncer à ta fonction en un pareil moment. Je ne vais pas évoquer ta sagesse, ton expérience, ton rayonnement… nous n'avons pas l'habitude de nous lancer des fleurs. Ni Pierre ni moi ne sommes capables de te remplacer et nous le savons tous. A mon tour de te faire un aveu : même dans des circonstances normales, j'aurais soutenu ta candidature et non la mienne. Tu as encore beaucoup à faire pour former ton successeur, Vénérable Maître. Ne t'arrête pas en chemin.

— Il pleut ! cria Jean Serval, l'Apprenti, posté à l'une des fenêtres du block.

Pas une goutte de pluie ne tombait. Mais deux SS, précédant l'officier supérieur, venaient vers le block rouge. Serval avait utilisé la formule rituelle pour avertir les Frères de la venue d'un profane.

— A mon coup de maillet, annonça le Vénérable, nos travaux sont suspendus.

Il frappa du poing droit contre le mur, quelques secondes avant que s'ouvre la porte du block, laissant le passage à l'officier supérieur.

Klaus contempla ses prisonniers et s'aperçut que les Maîtres s'étaient regroupés.

— J'espère que vous vous habituez à votre nouvelle villégiature, dit-il. J'ai une invitation à dîner à vous transmettre. De la part du commandant de cette forteresse. On viendra vous chercher.

Pas le moindre accent allemand. Toujours pas de titre ronflant dont les SS étaient si friands. Et une « invitation à dîner » par-dessus le marché... Quelque chose clochait. Comme si l'horreur reculait pour mieux grossir, pour mieux frapper. L'officier supérieur claqua lui-même la porte du block.

— A mon coup de maillet, annonça le Vénérable, la loge est ouverte au grade d'Apprenti.

Il frappa de nouveau sur le mur.

Tous les regards se tournèrent vers lui.

— Mon Frère Raoul, tu rempliras l'office de Couvreur.

Le Compagnon Raoul Brissac, tailleur de pierre, se posta près de la fenêtre, bien décidé à ne laisser entrer aucun élément impur dans le temple.

— Prenez place, mes Frères.

La magie des vieilles formules fit se serrer les gorges. Le Vénérable se tenait debout, au milieu de la paroi du fond. Sur sa gauche, Pierre Laniel, Guy Forgeaud, André Spinot. Sur sa droite, Jean Serval et Dieter Eckart. En face de lui, Raoul Brissac.

— Le plus urgent, mes Frères, est de rassembler les éléments nécessaires pour vivre notre rituel. Il faut tout tenter pour incarner ici notre initiation.

Les yeux brillèrent d'espoir. Le Vénérable redonnait à ses Frères le goût de lutter. De trouver des trésors inestimables comme de la craie ou des bougies.

Pierre Laniel leva la main droite pour demander la parole.

— Le problème sera de sortir de ce block. Peut-être ont-ils décidé de nous laisser moisir ici.

— Je ne crois pas, objecta le Vénérable. Il y a ce dîner. J'espère que nous pourrons boire et manger. Faisons la synthèse de nos observations sur le camp. Les uns et les autres, nous avons remarqué des détails différents. Que chacun prenne la parole. Guy, tu résumeras.

Chaque Frère s'exprima. Guy Forgeaud enregistra mentalement l'essentiel de leurs interventions. Le mécanicien, contrairement à ce qu'il avait déclaré à l'officier supérieur SS, avait une mémoire prodigieuse. Avec l'autorisation du Vénérable, il prit la parole quand tous les Frères eurent terminé.

— De mon côté, rien à ajouter à ce qui a été dit... Grâce aux interventions des uns et des autres, en y ajoutant les photos que notre Vénérable a vues dans le bureau du commandant, nous savons que la tour centrale de la forteresse abrite les services administratifs et les salles d'interrogatoires. Au sommet, un chemin de ronde, des projecteurs, des mitrailleuses lourdes. Une véritable tour de guet qui suffit à surveiller l'intérieur du camp. Les blocks sont disposés le long du mur d'enceinte de la forteresse, très élevé et surmonté de barbelés électrifiés. Il y a plusieurs blocks de couleurs différentes. Le nôtre est le seul à posséder deux fenêtres. En allant au block des toilettes, situé à côté de celui des douches, Raoul s'est aperçu que les fenêtres des autres chalets étaient condamnées. Nous ne savons pas s'il y a d'autres prisonniers dans le camp. Enfin, entre les « chalets » et les installations sanitaires, il y a une caserne de SS. Les gradés doivent être logés dans la tour.

André Spinot leva la main.

— Ce camp n'est pas normal.

— Pourquoi pas normal ? interrogea Serval, l'Apprenti, à qui le Vénérable avait exceptionnellement accordé la parole. On est parqués dans cette baraque, on ne nous donne même pas à boire, on est agressés par ces dingues en uniforme...

— Agressés... ils se contentent du minimum, pour l'instant. Rien à voir avec ce qu'on sait des bagnes nazis.

Les paroles d'André Spinot firent l'effet d'un courant d'air glacé. Chaque Frère prit conscience que, derrière l'apparence, il y avait les cercles de l'enfer. A quel moment les masques tomberaient-ils ?

André Spinot, le fabricant de lunettes, plaçait la lucidité au premier rang des vertus. Pour lui, se voiler le réel, fût-ce par peur ou par désespoir, était la pire des lâchetés.

— Il nous manque une information capitale, intervint le Vénérable.

— Laquelle ? demanda Forgeaud.

— L'emplacement de l'infirmerie. Il doit y en avoir une. Je suis médecin. Il faut que j'y aie accès. Et même qu'on m'en nomme responsable.

Un rêve. Mais Spinot ne trouva rien à objecter. Le Vénérable avait découvert un nouveau chemin.

CHAPITRE 7

Ce fut l'attente jusqu'au soir. Tous les Frères avaient besoin de récupérer. Ils dormirent. L'un deux restait éveillé, guettant. A tour de rôle, ils s'étaient rendus aux toilettes, selon un processus immuable. Ouvrir la porte du block. Demeurer sur le seuil, sans bouger. Attendre l'arrivée de deux SS. Se laisser conduire et ramener. Pas une brutalité. Il fallait seulement se presser, ne pas traîner en route, ne pas tourner la tête. Aucun Frère ne repéra d'autres prisonniers. La forteresse était silencieuse. Même la montagne alentour demeurait muette.

— Tu ne dors pas, toi non plus ? demanda à voix basse Laniel, couché à côté du Vénérable.

— Pas possible.

— Tu crois qu'on s'en sortira, François ?

— Obligatoire. Pas question de faire autrement.

Laniel regardait le plafond. Il voulait croire aux paroles de François Branier. Parce qu'un Vénérable Maître ne ment jamais.

— Quelle connerie, quand même... se faire poisser comme ça, sans pouvoir se battre...

Pierre Laniel s'exprimait souvent de manière crue. Une vieille habitude. Avec ses ouvriers, il ne donnait pas dans la dentelle.

— Ça dépend, Pierre...

Etonné, Laniel se dressa sur le coude gauche et regarda Branier, aussi immobile qu'un gisant.

— Ça dépend de quoi ?

— La loge a été laminée, depuis le début de la guerre. Nous avons perdu douze Frères. Aujourd'hui, nous sommes tous réunis. C'est notre force.

Pierre Laniel se demanda si le Vénérable ne commençait pas à perdre la raison. Pourtant, ce n'était pas son genre... L'industriel croyait connaître assez bien les hommes, mais François Branier l'étonnait encore. Il n'avait jamais rencontré quelqu'un d'aussi serein, d'aussi inébranlable dans l'épreuve. De lui émanait un rayonnement apaisant. Avec Branier, on croyait à l'impossible. Et ça marchait.

— Il faut sortir d'ici, François. Foutre le camp, n'importe comment. Les prendre par surprise. Si on joue leur jeu, ils nous boufferont tout cru.

— Pas de précipitation, Pierre. Avant tout, célébrer une tenue. Sacraliser ce bagne. Agir pour que le Grand Architecte soit présent parmi nous et qu'il nous apporte la solution.

— Tu ne crois pas...

— Non, je ne crois pas. C'est une certitude. Pas une croyance.

Pierre Laniel en frissonna. Le Vénérable n'avait pas coutume de s'engager ainsi. A ses yeux, ceux qui disaient « je sais » étaient des inconscients ou des malfrats. Il s'amusait souvent à répéter les paroles du vieux philosophe : « Je sais que je ne sais rien, mais même de cela, je ne suis pas très sûr. » Il avait pourtant prononcé le mot de « certitude » avec une conviction absolue, comme le chasseur qui sait que son tir fera mouche avant même d'avoir tiré.

— Tu te souviens, François, quand on a fondé cette bon Dieu de loge... personne n'y croyait. Personne n'en voulait. Les « Frères »... tu parles ! Ils ont tout tenté pour nous foutre en l'air ! Ils seraient contents de nous voir là, aujourd'hui...

La porte du block fut ouverte d'un coup de botte. Klaus, l'officier supérieur SS, apparut.

— Debout, messieurs. Vous êtes attendus pour dîner. Le commandant aime les gens ponctuels.

Les sept Frères de la loge « Connaissance » se levèrent, presque ensemble. Ils sortirent du block un par un, le Vénérable fermant la marche. La nuit tombait. Des nuages obscurcissaient le ciel. Un vent glacial balayait la cour. La forteresse évoquait un fauve tapi dans les ténèbres grandissantes. Toujours le même silence inhumain, seulement rompu par les bruits de bottes. Les sept Frères progressèrent vers la tour centrale, encadrés par des SS aussi impénétrables que les hauts murs.

Aucune lumière ne filtrait sous les portes des autres blocks. On fit entrer les Frères dans la tour, au rez-de-chaussée. Une vaste pièce pouvant contenir une cinquantaine de personnes.

Branier et ses Frères découvrirent un spectacle hallucinant.

Une longue table recouverte d'une nappe blanche, immaculée. Des assiettes en porcelaine et des couverts en vermeil. Des chandeliers d'argent à trois branches. Un chemin de fleurs mauves. A l'extrémité de la table, sous une photographie d'Hitler, le commandant du camp était assis sur un trône médiéval à haut dossier. A sa gauche, sur une estrade, un petit orchestre, dirigé par l'aide de camp. A l'entrée des Frères, il joua l'ode maçonnique pour le grade de Maître, composée par le franc-maçon Mozart. La place de chaque Frère était indiquée par un carton à son nom. Ils s'installèrent, ahuris, envoûtés par la beauté tragique de la musique que les Maîtres de la loge connaissaient bien pour l'avoir utilisée dans leurs rituels. L'ode funèbre dura un peu plus de dix minutes pendant lesquelles, dans le plus parfait silence, deux SS servirent un soufflé aux chanterelles accompagné d'un château-latour.

Le Vénérable Maître se trouvait en face du commandant du camp, à l'autre extrémité de la table. Sur sa gauche, un Maître, Dieter Eckart, et les deux Compagnons, André Spinot et Raoul Brissac ; sur sa droite, deux Maîtres, Pierre Laniel et Guy Forgeaud, et l'Apprenti, Jean Serval.

Mozart se tut. Le Vénérable avait le cœur serré.

— J'espère que votre loge apprécie cette musique et mon invitation à dîner, commença le commandant du camp, fixant François Branier.

Personne n'avait encore touché à la nourriture. Pourtant, ils avaient faim. Mais tout, ici, paraissait empoisonné. Le Vénérable ne répondit pas. Il attendait que la mise en condition fût achevée. L'officier supérieur et d'autres SS s'étaient placés derrière les convives, prêts à intervenir si l'un d'eux avait une réaction déplacée.

— Vous jouissez d'un traitement de faveur, continua-t-il, mais ce n'est pas injuste. Vous n'êtes pas des hommes comme les autres. Vous possédez une science. Elle doit être mise au service du Reich. Sinon à quoi servirait-elle ? Mieux vaut aborder ce problème autour d'une bonne table. Ce n'est pas votre avis, Vénérable ?

François Branier grommela quelque chose qui pouvait passer pour un oui. Le commandant leva sa fourchette. Les Frères, affamés, commencèrent à manger, très vite, de peur d'être interrompus à tout moment.

Le commandant les laissa faire. Le Vénérable et lui ne se quittaient pas des yeux. Ils s'accordaient mutuellement une trêve. François Branier grignotait. Il n'avait plus faim.

— Il y aura un dessert original, annonça le commandant. Vos révélations, Vénérable.

Il n'y avait plus un seul bruit de fourchette. Les Frères

attendaient l'orientation que leur Vénérable donnerait à cet interrogatoire.

— Il n'y aura pas de révélations. « Connaissance » n'existe plus. La Franc-Maçonnerie n'existe plus. Nous sommes des prisonniers comme les autres.

Le Vénérable avait parlé d'une voix calme, lente, comme pour imprimer une idée simple dans la tête d'un élève un peu attardé. Sans doute allumait-il la dernière mèche qui conduisait inévitablement à l'explosion. Les Frères eurent la sensation qu'on leur braquait une arme sur la nuque. Un simple coup de feu, et tout serait terminé. Ça valait peut-être mieux que des jours sans fin.

— Admettons, dit le commandant. Vous êtes de bons et loyaux Français. Vous ne complotez plus contre le Reich. Mais la loge « Connaissance » a bien existé ? Je n'ai pas rêvé ?

Un vague petit sourire flottait sur ses lèvres. Le Vénérable sentit que le point de rupture approchait.

— Oui, « Connaissance » a existé.

— A quel rite travaillait votre loge ?

— Rite Ecossais Ancien et Accepté.

— Le plus indiscipliné et le plus mystérieux, souligna le commandant, l'œil gourmand.

Les « Ecossais Anciens et Acceptés », selon l'expression archaïque, travaillaient avec les plus anciens rituels de la Franc-Maçonnerie. Volontiers frondeurs, héritiers des bâtisseurs de cathédrales, ils n'avaient pas un goût prononcé pour l'administration et le décorum qui avaient envahi les loges maçonniques.

Le Vénérable n'avait pas trahi un bien grand secret. Il était persuadé que le commandant vérifiait simplement un renseignement qu'il possédait déjà.

— A quel degré travaillait votre loge ?

Le Vénérable hésita. Il aurait été préférable de dissimuler un élément aussi essentiel, mais c'était prendre un énorme risque. Le commandant du camp n'était pas un bourreau ordinaire. Il avait étudié de très près le dossier des loges. Le Vénérable ignorait de quels documents et de quels témoignages il disposait. Sa marge de manœuvre était d'autant plus étroite. Il fallait lâcher du lest, sans donner l'extrémité du fil d'Ariane qui permettrait au SS de remonter jusqu'à la source.

— « Connaissance » travaillait aux degrés d'Apprenti, de Compagnon et de Maître.

— ... et de Maître, répéta le commandant. Rarissime. Vous aviez donc tellement d'entretiens secrets ?

— Simple exigence rituelle. Quand les Maîtres se réunissent entre eux, Compagnons et Apprentis ne sont pas admis.

— Bien sûr, Vénérable... mais rien n'obligeait les Maîtres de « Connaissance » à se réunir aussi souvent en « chambre du Milieu ». C'est bien l'expression consacrée, n'est-ce pas ?... Vous ne faisiez pas que du rituel, ces soirs-là... Que se passait-il exactement ? Qu'est-ce que vous prépariez, dans l'ombre ?

La gorge sèche, le Vénérable toussa. Presque au même instant, Jean Serval, l'Apprenti, glissa de sa chaise et, tel un pantin désarticulé, tomba sur le parquet de la salle à manger. Ses voisins voulurent intervenir, mais les SS s'interposèrent. Le Vénérable se leva.

— Je vous interdis de bouger ! ordonna le commandant.

— Je suis Vénérable et médecin, répliqua François Branier, défiant le SS. Mon Frère Serval a eu un malaise. Je tiens à le soigner moi-même. Emmenez-nous à l'infirmerie. Nous reprendrons cet entretien après. Sinon, faitesnous abattre immédiatement.

Le commandant du camp jaugea la situation en une seconde. L'incident lui prouvait que les Frères de « Connaissance » ne voulaient pas être dissociés. C'était leur force. En isolant le Vénérable à l'infirmerie, il affaiblirait leur capacité de résistance.

— Le dîner est terminé. Le Vénérable et le malade au block sanitaire. Les autres au block rouge.

Le commandant se leva à son tour, raide, majestueux. Le Vénérable éprouva un curieux respect pour cet homme. Il n'avait pas été choisi par hasard. Fou mais pas borné, fanatique mais lucide, il serait le pire des carnassiers. Son piège s'était refermé sur « Connaissance » et il ne se rouvrirait plus.

Deux SS ramassèrent Jean Serval et le traînèrent vers la porte de la salle à manger. Les autres Frères furent obligés de se ranger en file indienne. Guy Forgeaud en profita, au passage, pour gober un morceau de soufflé.

— Un instant ! Helmut...

L'aide de camp apporta au commandant un vaste panier contenant les montres, les bagues, les alliances, les chevalières appartenant aux Frères. Le commandant y plongea la main et les fit s'entrechoquer.

— On nomme cela des « métaux », en Franc-Maçonnerie. Vous les déposez à la porte du temple avant chaque « tenue ». Ils vous sont restitués à la fin... cette fois, c'est moi qui déciderai. Tâchez de bien travailler, si vous voulez devenir libres...

Le Vénérable et Jean Serval, toujours évanoui, furent conduits à un block vert. Situé dans un renfoncement, il était coincé entre la caserne SS et les douches. Un soldat gardait sa porte en permanence. Tout se passa très vite, comme si les SS voulaient se débarrasser d'une corvée pendant laquelle ils risquaient d'être contaminés au contact d'un malade. Serval fut jeté sur un sol de terre battue. On poussa le Vénérable dans le dos. Chancelant, il conserva l'équilibre. La porte claqua.

D'abord, ce fut l'obscurité, peuplée de gémissements, de plaintes. Les ténèbres étaient remplies d'êtres qui souffraient. Soudain, une lumière, très faible. Une bougie dissimulée dans une boîte en carton.

Un géant à la barbe rousse se dressa devant le Vénérable. Il dépassait les deux mètres. Il était vêtu d'une robe de bure, avec un chapelet pour ceinture. Un Moine.

— Qui êtes-vous ? demanda-t-il d'une voix courroucée. Qu'est-ce que vous venez faire ici ?

— Mon nom est François Branier. Je suis médecin. J'accompagne un malade.

— Vous êtes malade, vous aussi ?

— Non. Je compte soigner mon ami et m'occuper de l'infirmerie du camp.

Un rire énorme, incongru, éclata dans l'obscurité. La carcasse du géant était secouée par une formidable hilarité.

Le Vénérable attendit que le fou rire du Moine fût terminé.

— Moi, expliqua ce dernier, je suis le frère Benoît et je m'occupe de cette infirmerie depuis quinze jours. Par bonheur, il n'y avait pas de médecin dans cette forteresse. Sinon, tous les pauvres types couchés là seraient morts.

— Comment les soignez-vous ?

— Je ne soigne pas, je guéris. Les plantes et le magnétisme. Ici, on tombe malade à cause du froid ou de la nourriture. Avec mes mains, je magnétise. Avec les plantes, je draine et j'empêche les infections. Si vous avez mieux à proposer, je vous laisse la place.

— Les plantes... vous vous les procurez comment ?

— J'ai droit à une sortie par semaine, sous la surveillance d'un bataillon de SS. Impossible de s'évader. Mais la montagne commence à revivre. On ne trouve pas encore toutes les espèces, mais je m'arrange. Et j'ai aussi soigné un SS qui avait attrapé une bonne diarrhée et un début de bronchite... ça a servi ma réputation. Et ce sera utile dans l'avenir quand j'aurai trouvé des types qui auront du courage.

— Vous connaissez tous les prisonniers du camp ?

— Pas vous et votre copain malade. Vous êtes arrivés avec un convoi ?

— Nous sommes sept, répondit le Vénérable.

— Il y a plus de trois cents malheureux dans ce bagne, précisa le Moine, dont une bonne vingtaine à l'infirmerie. Avant mon arrivée, d'après quelques survivants qui sont là depuis six mois, il y aurait eu une centaine de victimes. Froid, malnutrition...

— C'est vous qui avez créé l'infirmerie ?

— Développé. Ce n'était qu'un réduit. Ils croyaient que ce genre de prisonniers pouvait échapper aux ennuis de santé, même dans les pires conditions.

— Quel genre de prisonniers ?

Le Moine considéra son interlocuteur d'un œil suspicieux.

— Des gens qui devraient avoir des pouvoirs... des mages, des astrologues, des voyants... Les SS croient à l'énergie psychique. Ils sont persuadés que ces pauvres types détiennent des secrets fabuleux qui deviendront des armes pour gagner la guerre. Influence à distance, envoûtement et autres fariboles... De vrais secrets, il n'y en a que deux : Dieu et la Foi.

L'Apprenti Jean Serval cessa de jouer au malade. Il ouvrit les yeux et se releva. Les paroles prononcées par le Moine l'avaient rassuré. Il fut d'autant plus surpris quand une poigne de fer le souleva du sol comme un vulgaire paquet.

— Qu'est-ce que ça signifie ? tonna le Moine.

— Une ruse pour accéder à l'infirmerie, expliqua le Vénérable.

Le Moine reposa Serval à terre.

— Vous, quel est votre pouvoir ?

— Il paraît que nous détenons un secret, répondit le Vénérable.

— Lequel ?

68

— Aucun. Les SS se font des idées.

Le Moine se gratta la barbe, incrédule.

— Vous savez qui commande ce camp ?

— Nous avons eu à faire au commandant, à son aide de camp et à un officier supérieur SS qui nous accompagne depuis Compiègne. J'ignore leurs noms et leurs grades exacts. Je ne connais que les prénoms de l'aide de camp et de l'officier, Helmut et Klaus. Ils parlent un français parfait, sans accent.

— Normal. Ces SS-là sont d'une espèce un peu particulière, indiqua le Moine. Ils appartiennent à l'*Aneherbe*. Section spéciale chargée de s'occuper des pouvoirs psychiques et de ceux qui les détiennent. Ils ont leur propre hiérarchie et mènent leur propre guerre. Alors, monsieur Branier, vous n'êtes pas un citoyen ordinaire. Pas plus que vos six camarades. Ici, il faut jouer franc jeu ou nous sommes foutus. Je répète : quel est votre secret ?

— Occupez-vous d'abord de mon ami Jean Serval. Nous discuterons après. Si les Allemands viennent contrôler, ils doivent voir un malade.

La colère monta au visage du Moine. S'il n'avait pas été un homme de Dieu, il aurait volontiers secoué ce gaillard bourru qui ne cédait pas un pouce de terrain et osait même se payer sa tête.

— Par là, ordonna le Moine à Jean Serval. Allongez-vous et attendez.

Au fond de l'infirmerie, une vingtaine de couchettes superposées, disposées sur quatre rangées. Un seul drap par malade, bien que la température ne dépassât pas dix degrés. Jean Serval s'installa sur une couchette du bas.

Le Vénérable fut étonné par la propreté du local. Le Moine devait accomplir un travail de titan pour entretenir cet hôpital de fortune. Le colosse emmena François Branier dans un cagibi où il avait installé une paillasse, trop courte pour qu'il puisse étendre ses jambes. Un plafond bas. Des murs suintant d'humidité. Le coin le plus inconfortable de l'infirmerie. Le Moine avait emporté la bougie, laissant les malades reposer dans l'obscurité.

— Vous avez des médicaments ? demanda le Vénérable.

— Une petite réserve. De l'aspirine et des désinfectants. Les SS sont mieux équipés. Je ne désespère pas de les dévaliser discrètement un jour ou l'autre. Avec les plantes, j'ai réussi à faire des miracles. Ça continuera. Dieu ne nous abandonnera pas.

— Puisse-t-il vous entendre...

— Comment osez-vous en douter ?

Les sourcils du Moine s'étaient arqués.

— Mes six Frères et moi-même sommes francs-maçons. J'occupe la fonction de Vénérable dans la loge. Elle se nomme « Connaissance » et travaille à la gloire du Grand Architecte de l'Univers.

Un très long silence succéda à cette déclaration. Le Moine demeurait figé, en état de choc. Le Vénérable, patient, attendait sa réaction. Il connaissait l'hostilité des hommes d'Eglise envers la franc-maçonnerie. Mais il était obligé de dire la vérité sans l'enrober de fioritures. Plus que jamais, il fallait identifier alliés et adversaires.

— En arrivant ici, dit enfin le Moine, je savais que je rencontrerais le diable. Mais j'ignorais la forme qu'il prendrait.

Le Moine s'assit sur le rebord de la paillasse. Le Vénérable l'imita. Les deux hommes se trouvèrent presque côte à côte, regardant dans la même direction.

— Le diable... Vous y allez un peu fort, non ?

— Dieu n'aime pas les nuances. Il vomit les tièdes.

— Rien à craindre pour les Frères de ma loge.

— Parce que ce sont des fanatiques ?

— Non. Des hommes qui iront jusqu'au bout de leur idéal et de leur vérité.

— Il n'y a de vérité qu'en Dieu.

— Tout dépend de l'idée qu'on se fait de Dieu, dit le

Vénérable. Il y a plus urgent... nous luttons ensemble ou séparément ?

Le Moine entrecroisa les doigts, faisant craquer les jointures.

— Je ne pactise pas avec l'ennemi.

— Moi, l'ennemi ! Permettez-moi de vous dire, mon père, que vous déraillez.

— Tout Vénérable que vous soyez, je crois que je vais vous casser la gueule.

— Ce sera dommage pour nous deux. Je n'ai pas l'intention de tendre la joue gauche.

La détermination du Vénérable étonna le Moine.

— Vous bouffez du curé ?

— Trop indigeste, mon père.

— Vous n'êtes pas chrétien, quand même ?

— Je n'irai pas jusque-là... vous êtes avec Dieu, je suis avec le Grand Architecte de l'Univers. Ils ne sont pas obligés de s'affronter dans un pugilat.

— Exact. Dieu est, le Grand Architecte n'existe pas. Ce n'est qu'une image.

— Vous ne m'avez toujours pas dit si nous marchions main dans la main ?

— Vous avez oublié que vous êtes excommunié ?

— Ici, oui.

— L'endroit importe peu. Vous appartenez à une secte qui complote contre l'Eglise. Vous avez calomnié des prêtres, vous avez fait expulser des moines qui vivaient en paix dans leurs couvents, vous avez insulté Dieu. Et vous voudriez que je vous serre la main ?

— La foi ne doit rendre personne aveugle. Certains évêques ont été piégés. Ils ont prêté l'oreille à n'importe quelles calomnies et à n'importe quelle propagande anti-maçonnique. Dans ce match imbécile, truqué, entre Eglise et Franc-Maçonnerie, les adversaires des deux camps ont rivalisé de bassesse. Pendant qu'ils se déchiraient, le matérialisme, le fascisme, la folie ont pu croître en toute quiétude. Nous sommes l'un et l'autre responsables de cette guerre et de ses horreurs, mon père. Votre Eglise et ma Franc-Maçonnerie ont trahi leur mission.

— Philosophie de bazar. L'Eglise n'a jamais dévié de sa route.

— Vous n'oubliez pas quelques génocides commis au nom de Dieu ?

— Un athée comme vous ne peut rien comprendre à l'Histoire. Les desseins de Dieu se réalisent à travers nous et malgré nous.

— Philosophie facile. La vérité initiatique, elle non plus, n'a jamais dévié de sa route. Peu importe ce que les francs-maçons font de l'initiation. Elle existe au-delà de nos faiblesses. Et elle n'a ordonné le massacre de personne au nom d'un dogme.

La porte de l'infirmerie s'ouvrit, laissant pénétrer un air glacé. Klaus, l'officier supérieur, entra. Il jeta un œil aux malades, découvrit le Moine et le Vénérable installés dans le réduit.

— Notre franc-maçon malade va mieux ? demanda-t-il en s'adressant au Moine.

— Trois jours de lit et des tisanes, bougonna le frère Benoît.

— Vous et le Vénérable Branier, avez-vous trouvé un terrain d'entente ? Lequel dirigera l'infirmerie ?

Le Vénérable baissa les yeux, regardant ses chaussures. Le Moine parla.

— Il y a du travail pour deux, ici. Trop de malades. Climat rude et nourriture infecte. Je redoute une épidémie. Elle n'épargnerait personne.

Le Moine ne passait pas pour un plaisantin. Klaus avait eu l'occasion de vérifier son efficacité. Le commandant du camp avait interdit qu'on le maltraite avant qu'il n'ait révélé l'étendue de ses pouvoirs. Une épidémie... il n'y avait pas de pire danger. Aucun SS n'avait une formation médicale suffisante pour apprécier la gravité de la situation. L'*Aneherbe* les avait formés à d'autres disciplines. Ils savaient disséquer les esprits et torturer les corps, pas les soigner. Impossible d'attendre un médecin envoyé par l'administration nazie.

— Faites le nécessaire. Rapport quotidien.

L'officier supérieur sortit de l'infirmerie à pas rapides, comme s'il fuyait des pestiférés. La porte claqua.

— Je suis heureux de notre alliance, dit le Vénérable.

— Ne vous faites pas d'illusions, répondit le Moine. Je n'ai pas la moindre intention de collaborer avec vous. Simplement, pas question de vous laisser le dernier mot. Cet imbécile de SS a interrompu notre conversation au moment où vous affirmiez des énormités.

— A savoir ?

— On verra demain. Maintenant, il faut dormir. Ici, c'est essentiel pour tenir le coup. Vous n'êtes pas malade, vous n'avez pas droit aux couchettes. Ce gourbi est bien assez confortable pour un Vénérable.

— Et vous ? Où dormirez-vous ?

— Devant la porte. Si les SS débarquent, je tiens à être le premier averti.

Le Vénérable s'allongea, renonça à lutter contre le sommeil. La fatigue lui tordait les muscles. Comme chaque soir, à la minute où il pénétrait dans un néant réparateur, il pensa à ses Frères. Il vit chacun d'eux, leur parla en silence, tentant de leur communiquer ce qui lui restait d'espérance.

Au moment où il fermait les yeux, il aperçut la lourde carcasse du Moine couché devant la porte. Il fut certain que mille SS n'auraient pas la force suffisante pour le déplacer.

CHAPITRE 8

— Debout !

Une main secoua le Vénérable. En ouvrant les yeux, il avait espéré découvrir une chambre douillette, inondée de lumière, sentir l'odeur d'un café fumant. Mais il n'y avait que l'infirmerie sinistre de la forteresse nazie et le visage sévère du Moine.

— Il est tard. Réveillez-vous.

— Quelle heure ?

— Le soleil est levé depuis un bon moment, d'après mes calculs. Il y a du travail. Pour les besoins naturels, il y a des seaux, là-bas, dans le coin. On les videra quand les SS nous le permettront.

Le Vénérable s'étira. Le Moine le regarda comme s'il examinait un mauvais élève.

— Vous manquez d'exercice, Vénérable. Existence trop confinée.

François Branier fixa le Moine droit dans les yeux.

— Je n'ai pas dormi dans le même lit depuis plus de deux ans. J'ai parcouru des milliers de kilomètres dans toute l'Europe. J'ai voyagé avec tous les moyens de transport imaginables. Et vous appelez ça manquer d'exercice ?

Un franc sourire illumina le visage du Moine.

— Ne vous vexez pas, Vénérable. Vous êtes bien susceptible. Je maintiens qu'un peu de gymnastique vous ferait le plus grand bien. Au monastère, nous avons une technique simple pour ne pas nous rouiller. Regardez.

Le Moine inspira et expira profondément puis, les mains sur les hanches, fit pivoter rapidement son buste. Puis il toucha une dizaine de fois ses pieds avec les mains tout en gardant les jambes tendues.

Le Vénérable haussa les épaules.

— Je vous conseille d'en faire autant chaque jour. Rejoignez-moi au fond. Il y a un malade qui m'inquiète.

Le Vénérable attendit que le Moine fût hors de vue pour tenter de toucher, lui aussi, ses pieds avec ses mains. Mais il fut obligé de plier les genoux. Excédé, il abandonna et se rendit au chevet d'un vieillard au souffle rauque.

— Un astrologue de Nice, expliqua le Moine. Russe blanc. Il avait prédit le début de la guerre, mais il s'est trompé sur son propre destin.

Le Vénérable examina l'astrologue. Il n'avait plus la force de parler.

— Il ne reste plus qu'à le laisser dormir en paix, conclut le Vénérable à voix basse, quand le Moine et lui se retrouvèrent dans le réduit, où le colosse prépara une décoction de plantes qu'il écrasait dans un bol à l'aide d'un pilon.

— C'est votre diagnostic ?

— Hélas...

— Pas d'accord. Ce vieux a la vie chevillée au corps. Il hiberne. Il est capable de tenir longtemps comme ça.

— Et Serval ? Pourquoi dort-il toujours ? Je l'ai secoué en passant, il ne s'est pas réveillé.

— Normal, répondit le Moine. Je lui ai fait absorber une drogue végétale. Un franc-maçon éveillé, ça me suffit. Il faut qu'il ait l'air malade. De plus, ça lui détendra les nerfs.

Le Vénérable n'eut pas le temps de dire au Moine ce qu'il pensait de ses méthodes : Klaus, l'officier supérieur, fit irruption dans l'infirmerie.

— Rapport, exigea-t-il. L'épidémie ?

— Deux cas suspects, répondit le Moine sans cesser de préparer sa décoction. Un genre de dipthérie.

— Votre avis, docteur Branier ?

— Hypothèse probablement exacte.

— Je veux rapidement une certitude, exigea Klaus.

— J'ai besoin d'autres herbes, rétorqua le Moine.

— Bien entendu, approuva Klaus. Mais vous vous partagez la tâche, à présent. Vous êtes sorti il y a deux jours, frère Benoît. C'est donc au tour du Vénérable.

Le Moine posa son pilon et se tourna vers le SS.

— Il n'y connaît rien. Il ne me rapportera pas les bonnes herbes.

— Il apprendra... Chacun son tour, c'est un ordre ! Vous sortez trop, frère Benoît. On dirait que vous préparez un plan pour vous enfuir...

Le regard du Moine demeura indéchiffrable.

— Comme vous voudrez. Vénérable, ramassez un maximum d'herbes là où ils vous conduiront. On triera après.

François Branier gratifia le bénédictin d'une tape amicale sur l'épaule gauche.

— Vous ne me prenez sans doute pas pour un excellent médecin, mon père, mais j'ai encore quelques souvenirs d'herboristerie... Surveillez bien les malades.

En sortant de l'infirmerie, encadré par des SS, le Vénérable regarda dans la direction du block rouge. Les deux fenêtres avaient été obstruées avec des planches. La cour de la forteresse était vide.

— Il me faudrait du matériel médical, dit le Vénérable à l'officier supérieur.

— Ce n'est pas de mon ressort.

— Qui décide ?

— Le commandant du camp.

— Alors, consultez-le.

— J'ai des consignes strictes, Vénérable. Si vous voulez

obtenir quelque chose, il vous faut une monnaie d'échange.

L'air du matin était vif, le ciel bleu clair, sans nuages. Dans le vent, des senteurs de printemps. La vie qui renaissait. L'envie de hurler pour dissiper le cauchemar, pour faire fuir ces oiseaux de nuit aux uniformes noirs.

— D'accord. Je négocie.

L'officier supérieur regarda le Vénérable avec dédain. Il l'abandonna au milieu de la cour et se dirigea vers la tour centrale où il pénétra.

Les SS qui surveillaient François Branier l'ignoraient. Des minéraux. Le Vénérable songeait à la remarque de l'officier supérieur : lors de ses expéditions pour récolter des plantes, le Moine avait sûrement préparé un projet d'évasion. Pourquoi permettait-on au Vénérable de sortir, à son tour, de la forteresse ? Pour l'abattre discrètement, priver la loge de son chef ?

Quelques minutes plus tard, François Branier fut face au commandant, flanqué de son aide de camp. Dans le bureau régnait une douce chaleur.

— Vous souhaitiez me voir, Vénérable ?

— J'ai besoin de sulfamides, d'analgésiques...

— Je ne m'occupe pas des questions d'intendance, l'interrompit le commandant. Je veux l'essentiel, Vénérable. Le reste m'indiffère.

— Disposez-vous des produits dont j'ai besoin ?

Le commandant regarda son aide de camp qui hocha la tête affirmativement.

— Vos exigences sont exorbitantes, docteur Branier.

— Ce que vous refusez au médecin, vous l'accorderez peut-être au Vénérable ?

Le commandant sourit.

— Pas impossible. Tout est affaire de contrat. Que me propose le Vénérable ?

François Branier se tassa sur lui-même.

— Le dernier plan de travail de ma loge vous intéresse-t-il ?

Les narines du commandant se pincèrent. Il n'avait jamais pu obtenir de document sérieux sur les sujets abordés par les Frères de « Connaissance ».

— Ce sera un début, Vénérable...

La gorge du Vénérable se dessécha. Il perdait ses moyens. Il prononça quelques mots inaudibles, se reprit.

— Nous avons étudié les droits de l'homme, l'insertion de l'individu dans la société et la...

— Vous vous foutez de ma gueule, Vénérable.

Le commandant du camp avait pâli. Une rage froide.

— Non ! cria le Vénérable. Laissez-moi parler, bon Dieu !

François Branier avait tenté un coup impossible. Il fallait rattraper la situation. Cette fois, il était obligé de lâcher une véritable information. Le commandant était trop bien renseigné. Il ne se laisserait pas berner.

L'aide de camp était crispé. Il attendait une réaction violente du commandant. Personne n'avait encore osé lui parler sur ce ton. Mais le SS demeura inerte, guettant sa proie.

— En disant « nous », reprit François Branier, je faisais allusion à la quasi-totalité des francs-maçons qui s'occupaient de morale, de civisme, d'instruction et de mille autres sujets profanes. La loge « Connaissance » a été créée pour sortir de cette ornière. Son dernier sujet d'étude a été la Règle.

Le commandant masqua sa jubilation. La Règle... la plus formidable machine de guerre conçue pour souder des hommes, en faire un groupe inébranlable, capable de remporter toutes les victoires. La Règle, qui avait permis à quelques initiés et à quelques moines de civiliser l'Europe, aux Templiers de devenir une formidable puissance financière... la Règle, à laquelle la section spéciale de l'*Aneherbe* avait consacré tant de recherches infructueuses.

— Il faudra me donner des détails, Vénérable...

François Branier nota le ton légèrement ironique du commandant. L'Allemand avait dû lire des kilomètres de pages de règlements imprimés par les obédiences, des volumes entiers d'archives administratives. Mais le SS avait percé ce rideau de fumée. Il ne s'était pas davantage laissé aveugler par le mauvais théâtre officiel des « grands Maîtres » et des « grands Officiers » qui, bardés de décorations, récitaient une leçon sans intérêt.

— Nous avons conservé un document intitulé « la Règle du Maître ». Il datait des premiers temps du christianisme et utilisait des originaux proche-orientaux. Sa partie officielle a nourri les premiers grands monastères. Sa partie secrète est demeurée dans les loges initiatiques de bâtisseurs.

L'aide de camp notait avec une rapidité presque incroyable. Sa plume courait sur le papier à une vitesse folle. Il savait que le commandant ne lui pardonnerait pas d'avoir omis un seul des mots sortis de la bouche du Vénérable. L'Allemand allait enfin recueillir le fruit de ses efforts. Il tenait l'homme et la loge capables de lui révéler le secret de la Franc-Maçonnerie, de ses instruments de pouvoir, de son action sur le monde. Un levier de commande qui ferait du Reich le plus grand empire jamais créé. Himmler était persuadé que la manipulation des âmes était non seulement le moyen le plus efficace de gagner la guerre, mais aussi d'implanter ensuite un pouvoir durable.

Le commandant du camp avait joué sa carrière en pariant sur la Franc-Maçonnerie. Les autres membres de l'*Aneherbe*, l'organisme nazi chargé d'utiliser les pouvoirs occultes comme des armes de haute précision, ne croyaient qu'aux traditions nordiques et à la mystique tibétaine. On avait même délégué une mission spéciale à Lhassa pour recueillir les secrets des sorciers tibétains. La Franc-Maçonnerie était considérée comme une coque vide, une association internationale certes, mais ne regroupant que des combinards et des philosophes de comptoir. Le commandant était persuadé qu'elle véhiculait encore un message essentiel. Lorsque le *SD*, le service de contre-espionnage allemand, avait occupé l'immeuble du Grand Orient de France, de nombreux documents étaient tombés entre ses mains. En juin 1942, l'unification du « service des sociétés secrètes » avait marqué un pas de plus dans la répression, nourrie par Bernard Fay, administrateur général de la Bibliothèque nationale. La trahison de dignitaires maçonniques avait complété cette vaste toile d'araignée dont le commandant d'une forteresse perdue dans la montagne occupait le centre.

Il savourait aujourd'hui cette immense victoire. Le Vénérable de « Connaissance » était devant lui, condamné à parler.

— Où se trouve ce document, Vénérable ?

— Nulle part. Il n'est pas écrit. C'est un ensemble de recommandations pratiques.

Le commandant éprouvait l'ivresse de ceux qui touchent au but. Ces « recommandations pratiques » devaient être des instruments psychiques aptes à influencer le comportement humain, à mettre en œuvre un programme politique, une révolution patiemment préparée.

Le Vénérable commençait à révéler l'essentiel. Il ne pourrait plus s'arrêter en chemin.

— Je suppose que vous connaissez votre Règle par cœur.

— Chaque Frère détient une parcelle de vérité. Il faudra rassembler les morceaux épars, les recouper, les organiser... Avant tout, je veux remplir mes devoirs de médecin. On a dû vous parler des deux cas probables de diphtérie et des risques d'épidémie. J'ai besoin de médicaments.

— J'ai une grande confiance dans les pouvoirs du Moine, rétorqua le commandant. C'est un authentique guérisseur. On va vous emmener cueillir des plantes. Cela devrait suffire pour éviter des complications. Nous ferons le point demain. Dès cet après-midi, mon aide de camp vous préparera un bureau pour commencer votre travail. Il sera disponible rapidement. Bonne cueillette, Vénérable.

Deux SS emmenèrent François Branier.

— Aujourd'hui est un grand jour, confia le commandant à son aide de camp. Un événement fabuleux, Helmut, une date dans l'histoire du Reich... Je vais enfin percer le secret de la Franc-Maçonnerie.

Promenade sinistre à flanc de montagne, printemps figé. Klaus, l'officier supérieur, et une dizaine de SS surveillaient le Vénérable. Ils progressèrent à travers prés jusqu'à un parterre de fleurs abrité par un énorme rocher qui les protégeait du vent et du froid. Le Vénérable s'agenouilla et commença la cueillette. Le Moine avait raison. Il y avait là de quoi soigner un certain nombre d'affections. Il engrangea de la chélidoine, de l'aconit, du serpolet, de la dent-de-lion, de la calendule. Si l'on savait préparer décoctions et tisanes, on pourrait désinfecter des plaies, lutter contre les maladies de foie, les coups de froid, les dépressions.

La terre était humide. Le soleil pâle ne dispensait aucune chaleur. Entouré par les SS comme un animal pris au piège, le Vénérable eut envie de renoncer. Il lui suffisait de fuir vers le sommet de la montagne, de courir jusqu'à ce qu'il soit libéré par une rafale qui le clouerait au sol. Il n'existait sans doute pas d'autre moyen de sortir de cet enfer. D'espoir, il n'avait pas besoin. Ce que les hommes avaient fait de cette terre ne justifiait pas qu'on y demeurât une seconde de plus. Mais il y avait la loge... la loge qui se moquait des nazis, des prisons, du mal... la loge, avec sa Règle immuable qui empêchait un Frère d'agir selon sa fantaisie.

Le Vénérable ramassa les plantes, les mit dans un sac de jute préalablement examiné par un SS, porta le sac sur l'épaule et descendit vers la masse sombre de la forteresse, silencieuse, inerte.

A mi-pente, il vit un chalet peint en vert, à l'entrée d'un chemin de terre qui s'enfonçait dans un bois d'épicéas. Une seule fenêtre. Sur le pas de la porte, nettoyant le seuil encombré d'aiguilles de pins amenées par le vent, une jeune femme blonde, vêtue d'une robe rouge et blanc. Elle leva les yeux vers lui, l'espace d'un instant. Leurs regards se croisèrent. Entre eux régnait à présent une complicité que nul ne pouvait soupçonner.

Une alliée. Une alliée de l'extérieur.

En se dirigeant vers sa prison, le Vénérable tenta de chasser cette folie qui ne reposait que sur une impression fugace. Il n'y parvint pas. Un espoir s'était gravé en lui.

CHAPITRE 9

— Bonjour, mon père. Vous semblez en excellente forme.

— Excellente, répondit le Moine au commandant.

Ce dernier écarta une pile de dossiers que son aide de camp s'empressa de ranger.

— Votre collaboration avec le docteur Branier se passe bien ?

— Nous manquons de moyens.

— Hélas ! mon père. Ce sont les rigueurs de la guerre. Nous les subissons tous. Helmut, apportez-moi le matériel.

L'aide de camp disposa sur le bureau cinq cartes à jouer retournées. Il présenta au commandant une baguette de coudrier.

— Passons aux choses sérieuses, dit le SS en se concentrant.

Le commandant serra les extrémités de la baguette entre le pouce et l'index, puis la promena au-dessus de chaque carte. La pointe se souleva sur la dernière.

— Je crois que j'ai trouvé l'as de pique, annonça-t-il.

Le SS retourna la carte.

Un valet de cœur.

— *Ach*, marmonna-t-il, déçu. Vos leçons n'ont pas encore suffi, mon père. Il faut continuer.

Le Moine se gardait bien d'enseigner correctement la radiesthésie au commandant. Il lui donnait autant de bons que de mauvais conseils. Jusqu'à présent, l'amalgame avait produit le résultat escompté. L'Allemand ne progressait pas d'un pouce.

— Avant notre cours, mon père, j'ai un service à vous demander. Des écritures à analyser.

L'aide de camp ôta les cartes et les remplaça par sept signatures soigneusement découpées et collées sur des feuilles de papier blanc.

— Seul votre don de radiesthésiste peut m'aider à débrouiller cette affaire, mon père. Voici des paraphes de personnes accusées de meurtres. L'une d'elles est un chef de bande, un redoutable criminel qui tire les ficelles. Je ne parviens pas à l'identifier. Je n'ai pas le choix. Ou je les fais tous exécuter, ou vous me désignez le coupable.

Le commandant tendit au Moine la baguette de coudrier. En la prenant en main, le frère Benoît éprouva une sensation de liberté.

— Je suis pressé, mon père. Dépêchez-vous.

— Vos indications sont trop vagues.

Le commandant alluma une cigarette.

— J'ajoute que l'homme possède un secret militaire et qu'il refuse de parler. Désignez-le.

Le Moine promena sa baguette au-dessus des écritures en pensant « crime ». Il ne se produisit rien. Puis il se programma intérieurement « secret ». La baguette sursauta d'elle-même sur la troisième écriture. Le Moine voulut continuer, masquant cette réaction, mais le commandant l'interrompit.

— Merci, mon père. Vous venez de choisir le Vénérable Branier.

Une journée entière s'écoula. Considéré comme guéri, l'Apprenti Jean Serval avait regagné le block rouge.

le Moine et le Vénérable avaient soigné, dormi à tour de rôle, n'échangeant que des avis médicaux sur les patients.

D'après les calculs du Moine, il devait être environ huit heures du soir. Le moment de la relève. Le Vénérable dormait dans le réduit. Le Moine le réveilla et s'assit à côté de lui.

— Je n'ai plus de plantes, Vénérable.

— J'allais vous demander une décoction. Une infection urinaire pour le malade de la première rangée, deuxième couchette...

— Plus de quoi soigner. Il faut une nouvelle récolte. Ou des médicaments.

Le Moine se frotta les mains, comme pour se réchauffer.

— Printemps glacial. Vous tenez bien le coup, Vénérable, pour un type de la ville.

— Question de foi. La chaleur intérieure. Vous connaissez ça, au monastère ?

— Il y a sûrement davantage de feu intérieur dans le plus minable des monastères que dans toutes les loges maçonniques réunies.

— Ça ne m'étonnerait pas, mon père. Les loges ne sont pas faites pour être réunies. A chaque fois qu'une obédience les rassemble et les soumet à une administration, c'est fichu. L'esprit crève. Chaque loge a son génie propre.

— Belle pagaille... chez nous, les bénédictins, il y a la Règle, notre sainte mère la Règle. Avec elle, nous avons civilisé l'Europe.

— Tout est à refaire... Mais vous avez raison. Les maçons initiés connaissent bien votre Règle.

— Blasphème !

Le Moine eut un coup de sang. Les veines de son cou se gonflèrent. Ses muscles se contractèrent malgré lui.

— Aucun blasphème... Qu'en avez-vous fait, de cette fameuse Règle ? Vous croyez que l'Eglise l'a vraiment pratiquée ?

85

— L'Eglise et l'Ordre de saint Benoît, bougonna le Moine, ce sont deux choses différentes.

— La Franc-Maçonnerie et ma loge aussi. La Règle secrète, c'est ce que veut obtenir de moi le commandant du camp. C'est pour l'offrir au Reich qu'il cherche à piéger mon atelier depuis des mois. Aujourd'hui, il est certain qu'il pourra faire main basse sur ce trésor.

— Ici, dit le Moine, on ne survit qu'en fonction du secret que l'on détient. Mais il est impossible que vous possédiez une véritable Règle.

— Pourquoi ?

— Parce que vous êtes des athées, des incroyants. Dieu ne révèle sa loi qu'à celui qui l'accueille au plus profond de lui-même.

— Incroyants... ce n'est pas le terme exact. Nos croyances individuelles ne comptent pas, c'est vrai. Nous n'en parlons pas. Aucun intérêt à nos yeux. Il y a des Frères que je connais depuis plus de quinze ans. Je ne sais pas encore en qui ils croient et pour qui ils votent. Ce que je sais, c'est que nous travaillons tous à la gloire du Grand Architecte de l'Univers.

— Une image, une chimère, un...

— Non, mon père. Le symbole du créateur. Présent à chaque instant. Quand le Christ trace le plan du cosmos avec un compas, il remplit la fonction de Grand Architecte. Et c'est bien sous ce nom-là qu'il est désigné dans les premiers textes chrétiens.

Les sourcils du Moine se dressèrent.

— Vous les avez lus ?

— Tous les textes sacrés nous concernent. Toutes les expériences spirituelles nous nourrissent.

— On ne doit plus s'y reconnaître, dans ce fatras !

— Il n'y a pas de fatras, dit le Vénérable. Il y a la Règle. Grâce à elle, nous intégrons dans notre quête ce qui doit l'être. Et, surtout, nous créons des hommes.

— Seul Dieu est créateur ! tonna le Moine.

— L'initiation est une seconde naissance. Il en a été ainsi pour vous lorsque vous êtes devenu moine, lorsque vous vous êtes dépouillé du vieil homme pour renaître à l'homme nouveau, pour entrer dans votre communauté.

— Si je finissais par écouter vos hérésies, Vénérable, je croirais presque que rien ne nous sépare.

— Il y a pourtant une différence... vous avez choisi de vous retirer du monde, pas moi.

— Retiré du monde, moi ? s'indigna le Moine. Que le Seigneur soit témoin du contraire !

— En ce cas, insinua le Vénérable, je ne suis plus un bon chrétien. J'étais certain que les moines vivaient reclus dans leurs monastères.

— « Les moines »... ça ne veut rien dire.

— « Les francs-maçons » non plus... Cessons de combattre des moulins à vent. Vous êtes moine de l'Ordre de saint Benoît, je suis Vénérable d'une loge du Rite Ecossais Ancien et Accepté. C'est tout ce qui nous reste d'essentiel, ici. Ou nous nous tournons le dos, ou nous luttons ensemble.

Le Moine réfléchit. Le Vénérable ne rompit pas le silence. Cette accalmie lui fit du bien. Le dialogue était serré, l'adversaire rude, intelligent, acharné. C'était la première fois qu'il parlait ainsi avec un moine. Il avait eu l'occasion d'échanger des propos avec beaucoup de prêtres, mais pas avec un bénédictin. François Branier songeait au passé, à ce Moyen Age d'or où moines et bâtisseurs avaient su œuvrer main dans la main pour couvrir l'Europe d'un blanc manteau de cathédrales. Dans cette infirmerie sordide, au cœur d'une forteresse nazie, le Moine et le Vénérable renoueraient peut-être avec la seule véritable Tradition. Mais il demeurait tant d'obstacles...

— Ce que vous proposez est monstrueux, Vénérable, reprit le Moine. On ne pactise pas avec un homme comme vous. Tout ce que je peux accepter, c'est d'essayer de vous convertir.

— Pari tenu.

Un râle de malade interrompit leur dialogue. Ils se levèrent ensemble, s'occupèrent du malheureux. Des gestes simples, précis. Une tisane. Des mots de réconfort. Une mécanique rodée où les deux hommes se complétaient. Le Moine avait mis au point des décoctions qui atténuaient les souffrances et plongeaient les malades dans un demi-sommeil.

Ils revinrent s'asseoir dans le réduit.

— Beaucoup d'entre eux ne tiendront plus très long-temps, estima le Vénérable.

— Il y en a un qui est mort. Première rangée, en bas, à droite. On le sortira cette nuit quand les autres dormiront à poings fermés.

— Les SS nous laisseront faire ?

— Il faut respecter la procédure. On poussera le cadavre par les épaules. Ses pieds apparaîtront au-dehors. Pas question de se montrer. Nous serions abattus. Il y a une mitrailleuse lourde braquée sur nous en permanence.

Deux marmites remplies de soupe aux choux furent déposées dans l'infirmerie par des SS. Le menu n'était guère varié. Il fallait quand même manger. Pour tenir. Grâce aux plantes, le Moine endiguait les troubles gastriques et intestinaux. A lui et au Vénérable d'accomplir la corvée des seaux hygiéniques, deux fois par jour, sous l'étroite surveillance des SS.

— Je vais manquer de remèdes, Vénérable. Il faut agir. Vous avez de quoi convaincre le commandant de nous allouer des médicaments.

— C'est-à-dire ?

— Il a des questions à vous poser… répondez-y et négociez.

— Je ne peux plus inventer des réponses. Le commandant est informé de l'importance réelle de ma loge. Je n'ai plus le choix. S'enfuir ou mourir.

— Suicide ?

— Certainement pas.

— S'enfuir d'ici est impossible, analysa le Moine. On ne s'évade pas de cette forteresse. Mourir en combattant, en fomentant une révolte ? Ça reviendrait à un suicide. Il faudrait voler des armes, avoir de quoi se battre...

— Et si la guerre finissait demain ? S'il suffisait de tenir bon ? Votre Dieu ne vous donne-t-il pas l'espérance ?

— Aucun homme, fût-il moine, n'a la possibilité de comprendre la volonté de Dieu. Il peut la vivre, ni plus ni moins. Demandez à voir le commandant, Vénérable. Exigez un bon dîner et n'oubliez pas de voler un maximum de nourriture. Révélez-lui quelques petits secrets. Revenez avec les médicaments nécessaires pour sauver des vies. Ce sera une grande première dans l'histoire de l'humanité. Un franc-maçon aura servi à quelque chose !

Dans le block rouge, le moral des Frères était en baisse depuis la disparition du Vénérable.

Les fenêtres avaient été condamnées. Ils vivaient dans la nuit. En détachant des éclats de bois, le Maître et mécanicien Guy Forgeaud avait réussi à creuser un interstice qui permettait de voir ce qui se passait dans la grande cour.

Les Frères s'étaient organisés. Ils s'obligeaient à dormir ou simplement à se reposer. L'un d'eux restait éveillé, assis le dos contre la porte. Quand les rations arrivaient, ils ne dévoraient pas. Appliquant la Règle, en dépit de l'absence du Maître de la communauté, ils partageaient les nourritures et mangeaient lentement.

L'Apprenti Jean Serval revint de l'infirmerie après trois jours de soins. Deux SS le poussèrent à l'intérieur du block rouge. Dans n'importe quel groupe d'hommes, l'arrivant aurait été assailli de questions. Mais la loge « Connaissance » vivait différemment. D'abord, ce fut le silence. Ensuite, les Frères se disposèrent autour de l'Apprenti. Ce fut un Maître, Pierre Laniel, qui prit la parole.

— Heureux de te revoir, mon Frère Apprenti. Si tu veux bien nous donner ton témoignage...

La voix de Laniel tremblait d'émotion.

— Le Vénérable est vivant, dit Serval. Ils l'ont affecté à l'infirmerie en compagnie d'un moine qui utilise des plantes pour soigner les malades. Il m'a drogué pendant tout le temps que j'ai passé là-bas. J'ai dormi. On m'a fichu dehors.

Les Frères semblèrent déçus.

— Il peut sortir ?

— Une fois, je crois qu'il a été emmené pour récolter des plantes... Il les a données au Moine.

— Comment s'entend-il avec le Moine ? interrogea Dieter Eckart.

— Ils s'occupent ensemble des malades... Ils parlent à voix basse. Je n'ai presque rien entendu de leurs conversations. Le Moine n'a pas l'air commode.

— Ami ou ennemi ?

— Plutôt ennemi... peut-être un mouton. Je ne suis quand même pas revenu bredouille. J'ai rapporté quelque chose.

Le sourire aux lèvres, l'Apprenti ouvrit la main. Il exhiba trois petites bougies. Chaque Frère contempla à loisir ce trésor inestimable.

— Nous avons déjà les trois piliers, commenta Dieter Eckart. Le reste viendra.

— Qu'appelle-t-on les trois grands piliers, Vénérable ?

Le commandant, toujours flanqué de son aide de camp, n'avait pas laissé le moindre répit au Vénérable. Dès qu'il avait été introduit dans son bureau, les questions avaient fusé.

— Ils sont les symboles de la sagesse, de la puissance et de l'harmonie.

— Exact, Vénérable. Vous connaissez bien votre rite, apprécia le commandant en refermant le « Manuel de l'Apprenti du Rite Ecossais Ancien et Accepté » qu'il avait devant lui. Le document était un cahier de quelques pages dactylographiées reliées par des agrafes. Il avait été découvert dans les papiers personnels d'un franc-maçon abattu chez lui alors qu'il tentait de s'enfuir.

— Vous avez une requête à formuler, Vénérable ?

— Voilà plus de trois jours qu'on refuse toute sortie au Moine et à moi-même. Nous n'avons plus de plantes et trop peu de médicaments pour soigner les malades. Je proteste à titre professionnel. Certains vont mourir. Des affections bénignes vont dégénérer. Je ne garantis plus l'hygiène de ce camp.

L'Allemand s'empourpra.

— Vous n'avez rien à garantir ! C'est moi qui dirige ce camp et prends les décisions ! Contentez-vous de me répondre si vous désirez que vos Frères restent en vie.

Le Vénérable sentit qu'il avait marqué un modeste point. Le commandant était sorti de ses gonds. Il avait perdu un instant l'emprise de lui-même.

— Les médicaments sont réservés aux soldats allemands.

— Comme vous voudrez. Dans moins d'une semaine, il y aura au moins trois morts à l'infirmerie.

— Ce ne seront pas les premiers, Vénérable ! Le Reich ne s'encombre pas d'êtres faibles. Débrouillez-vous avec les moyens du bord. Le Moine m'a fait savoir que vous n'étiez pas très coopératif.

Le Vénérable blêmit. Ainsi, le Moine était un vendu. Le dernier des salauds. Un type qui avait négocié son âme pour sauver sa peau. Sa mission consistait à mettre le Vénérable en confiance et à le faire parler.

— Vous ne comprenez pas très bien la situation, Vénérable. C'est la survie de votre loge qui est en cause. Vous perdez votre temps à vous préoccuper d'êtres inférieurs. Un faux pas de trop et ce sera l'abîme.

François Branier écoutait à peine les menaces. Au point où il en arrivait, elles ne l'impressionnaient pas. Il observait l'aide de camp, hiératique, silencieux. Pourquoi le commandant avait-il besoin de cette conscience muette ?

— Revenons à la Règle, Vénérable... Je commence à m'impatienter. Vous noterez, Helmut.

L'aide de camp se plaça devant le lutrin, plume d'or à la main.

— Qui prend les décisions, dans votre loge ?

— La « chambre du milieu ».

— De qui est-elle composée ?

— Des Maîtres.

— Comment devient-on Maître ?

— Il faut avoir été Apprenti pendant au moins sept années et Compagnon pendant une durée laissée à l'appréciation des Maîtres.

— A quelles épreuves sont soumis les Compagnons ?

— Ils doivent accomplir un chef-d'œuvre.

— En quoi consiste-t-il ?

— Aucun interdit.

— Exemples ?

— Cela va d'un travail de miniaturisation jusqu'à la tour Eiffel. L'essentiel est d'appliquer dans la matière les lois de l'harmonie qui nous ont été révélées.

— Et... vous pourriez fabriquer n'importe quoi ? Vous pourriez améliorer la qualité technique d'un produit ?

— Probable.

— Ces fameuses « lois d'harmonie »... quelles sont-elles ?

— Rien de théorique, répondit le Vénérable. Les écrire en formules n'avancerait pas à grand-chose. C'est une question d'expérience sur le terrain...

Le commandant du camp réfléchit. Le Vénérable mentait sans doute sur ce dernier point, mais il avait révélé des éléments essentiels...

— Un des Frères de votre loge sera transféré à l'atelier de la forteresse. Il y appliquera vos secrets. On verra si vous continuez à jouer le jeu, Vénérable.

— Et les médicaments ?

— Helmut vous fera porter une trousse d'urgence. Demain, vous serez autorisé à sortir pour récolter des plantes.

Le commandant continuait à progresser sur l'échiquier. A présent, il estimait connaître presque parfaitement son adversaire. Tenter de lui faire tout avouer en bloc aurait constitué une grave erreur. Il fallait l'user, lui donner quelques espoirs, le rassurer de temps à autre sans cesser de le prendre à la gorge, savoir attendre, accueillir les révélations les unes après les autres jusqu'à ce que l'ultime secret de la loge « Connaissance » fût révélé.

— Ça y est ! s'exclama Guy Forgeaud, l'œil toujours collé à l'interstice.

— Quoi donc ? interrogea Dieter Eckart, s'approchant.

— L'occasion que j'attendais. Une jeep chargée de matériel garée devant l'entrée du garage. Prise de guerre, sans doute. Il me faut un volontaire pour aller pisser. Pendant que les SS s'occuperont de lui, je fonce jusqu'à la jeep et je rapporte le matériel que je pourrai piquer.

— Complètement insensé, Guy...

— Pas avec la pénombre et le moment de la relève. D'habitude, pendant quelques minutes, il y a du mou dans la surveillance. A moi d'être rapide.

Chaque Frère avait entendu. Les Maîtres se demandaient ce que le Vénérable aurait proposé en pareille occasion.

Le soir tombait.

— J'y crois, affirma Guy Forgeaud. Ça va marcher.

Dans sa voix, une conviction tranquille.

— J'ai déjà envie de pisser, annonça l'industriel Pierre Laniel. Je saurai traîner les pieds.

Ils se recueillirent. Ils étaient certains que le Vénérable aurait approuvé les deux Maîtres qui allaient les arracher à l'inertie. Guy Forgeaud demeurait l'œil collé à la fente minuscule. Il distinguait à peine l'arrière de la jeep. Des bruits de bottes. Au sommet de la tour centrale, la relève.

— Vas-y, Pierre, c'est bon.

Selon le rituel spécifique du block rouge, Pierre Laniel ouvrit la porte et se présenta sur le seuil, les bras le long du corps, la poitrine offerte. La réaction ne tarda pas. Un SS, l'arme braquée, vint vers lui. Laniel eut un geste éloquent et inclina la tête en direction du block des toilettes.

L'Allemand hésita. Il regarda derrière lui, guettant l'approbation de l'intendant qui traversait la cour. Pierre Laniel estima que Guy Forgeaud, comme d'habitude, avait bien analysé la situation. Il y avait un flottement. Le SS emmena Laniel auprès de l'intendant.

Forgeaud retint son souffle. Dès que le SS eut tourné le dos, il sortit du block rouge en se baissant et se rua vers la jeep. En chaussettes, il ne faisait aucun bruit. Les graviers de la cour lui meurtrirent les plantes de pied, mais il oublia la douleur pour se concentrer sur son objectif. En quelques enjambées, il atteignit l'arrière du véhicule. Il faisait trop sombre pour qu'il détaille le matériel entassé dans la jeep. Ses doigts crochetèrent un sac en toile de jute. Presque sans s'arrêter, il repartit vers le block rouge.

L'incident se produisit à mi-parcours. Le pied droit de Guy Forgeaud buta contre une pierre. Il ne perdit pas l'équilibre, mais le fond du sac heurta le sol. Un petit bruit métallique se répandit dans l'air glacé.

Pierre Laniel et les deux SS arrivaient au block des toilettes. Le Maître maçon eut la prescience du danger. Il entendit le bruit à l'instant où il se produisait. La catastrophe. L'intendant, qui se tenait à sa gauche, allait tourner la tête. Laniel lui plongea dans les jambes.

Guy Forgeaud attendait la rafale qui lui scierait le dos. Il courait, courbé. Il y croyait encore. La porte du block rouge s'entrouvrit au moment où il la percutait. Il lança le sac à l'intérieur et se jeta sur le sol. Ses Frères le relevèrent aussitôt.

— Blessé ?

— Rien, rien, répondit Guy Forgeaud dans un souffle. J'ai failli me casser la gueule.

Raoul Brissac, le tailleur de pierre, et André Spinot, le lunetier, ouvrirent le sac. Il contenait des clés à molette et une règle métallique.

— Fabuleux, apprécia le Compagnon Brissac.

Ils avaient tous les mêmes pensées. Ils auraient bientôt le nécessaire pour célébrer une « tenue ».

A condition que le Vénérable fût de retour...

Un quart d'heure s'écoula. La peur et l'excitation étaient retombées. Jean Serval, l'Apprenti, les Compagnons Spinot et Brissac avaient creusé un trou pour y enfouir leur butin. L'obscurité régnait dans le block. Nul n'osait prononcer la moindre parole.

Pierre Laniel n'était pas rentré.

CHAPITRE 10

La nuit était tombée depuis longtemps lorsque les SS poussèrent le Vénérable à l'intérieur de l'infirmerie. Le Moine, assis dans le réduit, priait, égrenant le chapelet qui lui servait de ceinture.

Le Vénérable, debout, immobile, le regardait.

— Levez-vous, ordonna François Branier.

— Pourquoi ?

— Je ne frapperai pas un moine assis. Même si c'est un mouton.

Le frère Benoît cessa d'égrener son chapelet.

— Qu'est-ce qui se passe ?

— Levez-vous.

— Je n'obéis qu'à Dieu. Si vous voulez cogner, cognez. Mais j'aimerais comprendre.

— Le commandant de la forteresse m'a communiqué votre rapport. Vous vous êtes bien amusé, avec moi.

— Quel rapport ?

— Finie la comédie. Debout.

Le Moine se leva lentement, défroissant sa robe de bure.

— Mouton... c'est ce mot-là que vous avez prononcé ?

— C'est le rôle que vous avez rempli.

La barbe du Moine frémissait.

— Et vous avez été assez stupide pour croire un officier

nazi... Vous êtes le type le plus minable que j'ai rencontré. Vénérable... Qui pourrait bien vous vénérer ?

Le face-à-face s'éternisa. Chacun attendait que l'autre frappât le premier.

— Je vous présente mes excuses, dit François Branier, sans baisser le regard.

Le Moine haussa les épaules et s'assit.

— Normal, pour un mécréant.

Le Vénérable l'imita.

— J'ai une confiance totale envers mes Frères. Nous avons vécu la même initiation. Les mêmes épreuves. C'est nous qui sommes au centre de l'enfer. Pas vous. Ça n'excuse pas mon erreur, mais ça l'explique.

— Vous manquez de foi. Vous êtes habitué à douter d'autrui et vous ne voyez même pas clair. Comme votre Grand Architecte doute de sa création. Si j'osais...

— Mon repentir ne vous suffit pas ?

Le sourire intérieur du Moine se peignit sur son visage.

— Le passé ne m'intéresse pas. J'ai un pari à vous proposer, Vénérable.

François Branier contempla le Moine, intrigué.

— Vous avez le droit de refuser. J'aurais sûrement réussi à vous convertir. J'ai l'éternité pour moi. Mais ici, le temps nous est compté. C'est pour cela que j'ai recours à un pari. A condition que vous ayez le courage de tout remettre en cause.

Le Vénérable se demandait où le Moine voulait l'entraîner. Mais il était déjà décidé à ne pas reculer, quel que fût le risque à prendre. Tel était le prix de son erreur.

— Vous y croyez vraiment, à votre Grand Architecte de l'Univers ?

— C'est beaucoup plus qu'une croyance. Le Grand Architecte est le principe de toute vie.

— Pour moi, Dieu est. Je crois en lui. Je sais qu'il me fera sortir vivant d'ici. Pour prouver que la foi a un sens. Ce n'est pas de la vanité, Vénérable. C'est un acte d'amour. Quand cette tourmente se sera apaisée, quand Dieu m'aura permis de retrouver la liberté, je lui construirai une chapelle. Et vous saurez que vous aviez tort. Vous saurez que le Grand Architecte n'existe pas.

— Je tiens le pari. Si le Grand Architecte de l'Univers me permet de revoir la lumière, je lui construirai une loge. Vous saurez que vous vous êtes trompé. Donnez-moi votre main droite, paume ouverte.

Le Moine obéit. Le Vénérable topa, à la manière des anciens, pour sceller le pacte.

— Je jure de respecter les termes de notre engagement mutuel.

— Je le jure aussi, affirma le Moine, topant à son tour. Lorsque ma chapelle sera terminée, je prierai pour vous, en espérant que le Seigneur daignera ouvrir vos yeux dans l'au-delà.

— Votre Dieu est bien menaçant... le Grand Architecte ne récompense personne, ne punit personne. Mais il est présent parmi ceux qui œuvrent en son nom. Je célébrerai votre mémoire quand mes Frères et moi vivrons notre première tenue dans notre nouvelle loge.

Le Moine parut navré.

— Désolé d'en être arrivé à une solution aussi brutale... mais votre Grand Architecte n'est qu'une illusion de l'esprit. Vous le comprendrez au moment de votre mort, j'en suis sûr. A cet instant, tournez-vous vers Dieu. Il vous accueillera peut-être. Sa bonté est infinie.

Le Vénérable sembla aussi attristé que le Moine.

— Ce serait si simple, en effet... Un acte de croyance, et tout serait dit. Le Grand Architecte ne se révèle qu'à ceux qui ont suivi le chemin de l'initiation. Vous le comprendrez quand votre croyance vous abandonnera. Mais il sera peut-être trop tard pour demander l'entrée du temple.

— Sans importance, rétorqua le Moine. En revêtant cette robe de bure, je suis entré dans le temple du Seigneur. Elle sera mon linceul. Je n'ai besoin de rien d'autre.

— Vous avez choisi de quitter le monde, d'entrer dans un monastère, de prier, de travailler à l'intérieur de votre communauté... Cela m'a tenté, moi aussi. Mais j'ai choisi une autre voie. La plus difficile. Etre à la fois à l'intérieur d'un temple et à l'extérieur. Transmettre au-dehors ce qui m'a été transmis au-dedans.

— Vous croyez pouvoir changer le monde, Vénérable ?

— Pourquoi pas ? En tout cas, témoigner que c'est possible... comme Jean, le témoin de la lumière.

Le Moine n'apprécia pas la comparaison. Il s'apprêtait à maudire une fois de plus le Vénérable pour ses blasphèmes quand s'ouvrit la porte de l'infirmerie, faisant pénétrer un courant d'air glacé dans le réduit. Plusieurs SS, énervés, y pénétrèrent. Ils firent se lever le Moine et le Vénérable.

— Dehors. Tout de suite.

Un frisson parcourut l'épine dorsale du Vénérable. Ils allaient les exécuter froidement à la nuit tombante. Il ne reverrait pas ses Frères.

On les emmena devant le block des toilettes où d'autres SS formaient cercle. Parmi eux, Klaus, l'officier supérieur.

— Regardez, ordonna-t-il.

Le cercle s'ouvrit. Le Moine et le Vénérable virent un homme allongé sur le sol, les yeux ouverts, un mince filet de sang coulant le long de sa tempe.

— Pierre...

Le Vénérable avait murmuré le nom de son Frère. Pour lui-même, pour la loge. Avant même de se pencher vers lui, il savait qu'il était mort. Pierre Laniel, Maître maçon de la loge « Connaissance » avait fini de souffrir. Le Vénérable mit un genou en terre, lui ferma les yeux et lui traça le signe de l'équerre sur le cœur.

— Le détenu a agressé l'intendant, commenta l'officier supérieur, irrité. Il n'a eu que ce qu'il méritait.

François Branier se releva. Il pleurait en dedans.

On reconduisit le Moine et le Vénérable à l'infirmerie. Le trajet parut interminable à ce dernier. Quand la porte se referma, il se cacha le visage dans les mains, s'appuya le front contre un mur. Le Moine s'approcha de lui.

— Je ne connais rien de plus insupportable que les condoléances, Vénérable... Je tiens seulement à ce que vous sachiez... j'ai béni le corps de votre Frère.

— Pierre Laniel s'est comporté comme un fou criminel.

Le commandant du camp avait exprimé sa sentence sans cesser de lire le rapport qu'il avait sous les yeux. François Branier se tenait debout devant son bureau. Il était encadré par Klaus, l'officier supérieur, et par Helmut, l'aide de camp.

Le Vénérable avait l'immobilité d'une pierre.

La mort d'un Frère... le moment où l'insupportable rentre dans la peau, dans le ventre, où la vie n'a plus de goût. Pierre Laniel... le Compagnon de tous les combats, l'homme de l'ombre qui avait aboli toute ambition personnelle pour servir la loge, le chercheur acharné, précis, celui qui exigeait la perfection en toute chose sans rien imposer à personne.

Laniel qui, comme les autres Frères de « Connaissance », avait prêté un serment le soir de sa première initiation : « Je promets de verser jusqu'à la dernière goutte de mon sang pour la défense de la communauté initiatique qui me donne la vie. » Un serment que certains avaient peut-être considéré comme formel et qui avait pris toute sa valeur en cette nuit glaciale, à l'écart de l'humanité, loin de la lumière.

— Votre Frère Laniel a provoqué mon intendant, reprit le commandant. Ses nerfs ont lâché, de la manière la plus stupide. Cela m'étonne, de la part d'un Maître de votre loge...

Le Vénérable entendait à peine les paroles d'accusation, prononcées d'un ton ouaté. Il tentait de rester proche de Pierre Laniel, de ne pas quitter cette main qu'il avait tant de fois serrée dans la chaîne d'union.

— Je tiens à rappeler, Vénérable, que vous et vos Frères êtes des prisonniers tout à fait privilégiés. Il m'est impossible de vous faire transférer immédiatement dans un camp de rééducation à régime sévère. En ordre dispersé, bien entendu. Ici, vous restez ensemble et vous jouissez d'une détention simple. Votre bureau est prêt, Vénérable. On vous y conduira. Continuez à vous montrer coopératif. Il n'y a pas d'autre moyen pour sauver la vie de vos Frères. Nous nous sommes bien compris ?

Le commandant ne parvint pas à accrocher le regard du Vénérable. Il se demanda si le chef de la loge « Connaissance » n'avait pas craqué, lui aussi, s'il n'était pas réduit à un fantôme d'homme. Si près du but... Mais ce n'était peut-être qu'une réaction momentanée. Le temps aidant, François Branier serait bien obligé de revenir à la réalité. Un Vénérable ne saurait être démantelé par la première lame de fond, fût-elle la mort d'un Frère.

Le commandant garda confiance.

Les rescapés de la loge « Connaissance » contemplèrent leur butin à la lueur d'une allumette provenant d'une boîte volée par l'Apprenti Jean Serval à l'infirmerie. Sur le sol du block, Guy Forgeaud avait déposé la totalité du contenu du sac de jute rapporté de son expédition : clés à molette, règle métallique, marteau. L'un après l'autre, les Frères tâtèrent le métal froid comme s'il s'agisssait de l'or le plus pur.

— Nous ne reverrons jamais le Vénérable, affirma Guy

Forgeaud, caressant une clé. Ils vont nous abattre un à un. Avec ça, nous pourrons au moins crever dignement.

Dieter Eckart, qui occupait la plus haute fonction dans la loge en l'absence de François Branier, n'intervint pas. Il ne trouvait pas de mots pour apaiser la colère glacée de son Frère. Il connaissait bien Forgeaud. Il irait jusqu'au bout si aucun argument n'entravait sa décision.

— Si tu utilises ça contre les SS, avança le Compagnon André Spinot, le lunetier, il faut au moins avoir un plan d'évasion. Sinon, ce sera un suicide.

— Je n'ai pas l'intention de me suicider, rétorqua Guy Forgeaud. Mais je ne peux pas agir seul.

Raoul Brissac, le compagnon tailleur de pierre, s'avança. Comme Guy Forgeaud, il en avait assez de l'inaction. Perdu pour perdu... il valait mieux que les tortionnaires ne sortent pas indemnes de l'ultime combat de « Connaissance ».

Dieter Eckart resta silencieux.

L'aide de camp introduisit le Vénérable dans « son » bureau, au deuxième étage de la tour. Une pièce sans fenêtre, basse de plafond. Une chaise et une table. Sur cette dernière, des feuilles de papier et un stylo.

— Installez-vous et écrivez, ordonna l'aide de camp. Je reviendrai vous chercher dans quelques heures.

La porte se referma. La clé tourna dans la serrure. Le Vénérable resta debout un long moment. Curieusement, ce réduit lui apparut comme un havre de paix et de liberté. Seul avec lui-même, avec l'esprit de sa loge, il allait pouvoir récupérer un peu.

L'endroit lui rappelait le lieu symbolique que les francs-maçons nomment « cabinet de réflexion », là où commence une existence initiatique. Après avoir subi les trois « enquêtes » où des Frères de la loge l'avaient interrogé sur sa vie et sur sa pensée, le profane Branier avait affronté l'épreuve sous le bandeau. Assis sur une chaise, les yeux bandés, sans savoir où il se trouvait, il avait dû répondre à de multiples questions. Il était reparti chez lui, sans savoir s'il était accepté ou refusé. Après trois jours et trois nuits où il avait difficilement trouvé le sommeil, François Branier avait reçu un coup de téléphone. Le processus continuait. Bientôt, il allait recevoir la première initiation, celle au grade d'Apprenti.

Ce soir-là, il pleuvait. Devant l'entrée d'un immeuble du XVIIe arrondissement de Paris, il avait attendu près d'une heure sur le trottoir avant qu'un homme âgé vienne le chercher. Sans mot dire, ce dernier l'avait emmené dans une cave et l'avait enfermé dans un réduit carré. Une table sur laquelle était posées trois coupelles contenant du sel, du soufre et du mercure. Au mur, un coq, une inscription alchimique et un appel à l'éveil de l'être intérieur de l'homme. Branier avait rédigé un « testament philosophique », examinant son passé sans indulgence, prenant conscience que sa vie d'homme n'était qu'une œuvre inachevée, désordonnée, incomplète. Il attendait de l'initiation une lumière, un autre regard.

Il n'avait pas été déçu. Au fil des années, bien des voiles s'étaient déchirés. Il y avait eu tant de recherches exaltantes, tant d'émotions partagées avec ses Frères, tant de responsabilités à assumer pour respecter et vivre la Règle du Grand Architecte de l'Univers. Jusqu'à cet instant où les Maîtres lui avaient confié la charge de Vénérable.

Solitude d'un homme dont la fonction était d'être l'expression d'une communauté… c'était le douloureux paradoxe auquel était à présent confronté François Branier. Sans son Vénérable, la communauté tournait sur elle-même, n'évoluait plus. Il devait à tout prix rejoindre ses Frères pour célébrer un rituel, pour qu'ils s'évadent tous ensemble par le chemin des symboles.

Le Vénérable s'installa à la table de tortures où le seul

instrument destiné à le faire souffrir était un stylo à plume or.

François Branier n'aimait pas écrire. Rédiger une ordonnance était déjà une épreuve. A présent, on lui demandait de formuler la Règle, de trahir son serment, d'offrir le plus précieux des trésors à une bande de fous criminels.

Le plus insupportable était la séparation d'avec les Frères de la loge. Ensemble, dans la même prison, et pourtant si loin... Le Vénérable avait peur pour eux. Comment les traitait-on ? Quels sévices leur imposait-on ? Qu'avait réellement tenté Pierre Laniel ? Il connaissait trop les initiés de « Connaissance » pour supposer un seul instant qu'ils resteraient passifs, les bras croisés, en attendant qu'on les exécute comme des bêtes dociles. Ils étaient sans doute persuadés de ne jamais revoir leur Vénérable, certains que la loge vivait ses derniers instants et qu'il valait mieux mourir en tentant de s'évader.

Le Vénérable inscrivit en haut de la feuille de papier « Année de vraie lumière 5944 » et intitula le document « Testament de la loge " Connaissance ", à l'Orient de... ». Il s'interrompit. L'Orient, c'était le lieu géographique où une loge se réunissait. Mais c'était aussi l'endroit magique où, en travaillant ensemble, les Frères faisaient renaître la lumière. Sans doute le Vénérable ne connaitraît-il jamais l'orient géographique de cette forteresse nazie. Il écrivit : « A l'Orient d'une montagne de printemps. » Puis coururent les premières phrases qu'il lui faudrait échanger contre la vie de ses Frères :

« Ceci est sans doute l'ultime expression de la Règle sur la terre d'Occident, avant que disparaissent des hommes qui ont consacré leur vie à l'initiation. De temple en temple, de chantier en chantier, de génération en génération, la Règle a été transmise afin que l'homme continue à se bâtir. Aujourd'hui, la nuit a recouvert notre monde.

Dévoreuse, elle engloutit tout. Tout, sauf cette Règle qui est l'unique instrument de création. »

Le Vénérable écrivit longtemps, déchira des pages, recommença. Il y avait de longues journées de travail en perspective pour évoquer les aspects de la Règle concernant les Apprentis, les Compagnons, les Maîtres, les fêtes de Saint-Jean, les différents types de « tenues » et de réunions, les travaux initiatiques dont la plupart des loges ignoraient la véritable nature. Et quand tout cela serait divulgué, il manquerait encore la pierre fondamentale de l'édifice, celle qui devait donner un sens à tout le reste et qu'aucun Maître de loge n'avait révélée, fût-ce par allusion.

Lorsque François Branier en arriverait là, ce serait le véritable terme du voyage. Et il lui faudrait prendre la plus déchirante des solutions : ou bien se taire et condamner des Frères, ou bien parler et trahir son serment.

Le Vénérable s'étira. Il se sentait moins épuisé, moins découragé. Il n'avait plus aucun espoir d'échapper à la mécanique monstrueuse qui le broyait, mais il se sentait en conformité avec son chemin. Il disposait à nouveau de la force nécessaire pour affronter la forteresse.

Le ululement sinistre d'une sirène emplit la nuit.

CHAPITRE 11

L'aide de camp ouvrit la porte du bureau. Il était accompagné de deux SS.

— Suivez-moi, ordonna-t-il au Vénérable.

François Branier quitta à regret ce local clos, hors de l'espace et du temps.

— Que se passe-t-il ?

L'aide de camp sourit. Le Vénérable n'aurait pas dû poser cette question. Il n'avait rien à demander. Il avait laissé percevoir à l'Allemand qu'il n'était pas encore brisé, que ses ressources demeuraient presque intactes, qu'il ne se considérait pas comme un condamné. Une faute grave. François Branier s'était piégé lui-même.

— Ne soyez pas inquiet, monsieur Branier. Un exercice d'alerte. Je vous ramène à l'infirmerie pour la nuit.

La grande cour était déserte. Branier jeta un œil vers le block rouge, là où les Frères étaient enfermés. Plusieurs SS s'étaient disposés devant leurs baraquements, l'arme au poing.

François Branier pénétra dans l'infirmerie. Le Moine se dressa devant lui.

— Vous avez les médicaments ?

Le Vénérable, passant à côté du Moine comme s'il n'existait pas, se dirigea vers le réduit et s'assit lourdement.

— Il y a des heures que j'attends, Vénérable, tonna le Moine, campé devant François Branier.

— Rien pu faire.

— Comment, rien pu faire ? Vous n'avez pas vu le commandant ?

— Si.

— Et alors ? Vous n'avez pas passé le marché ?

Le Vénérable leva les yeux vers le Moine.

— Un marché ? Vous croyez qu'on peut négocier quelque chose, ici ? Vous croyez que nous sommes dans un patronage où l'on échange de bons sentiments ?

Le Moine égrena son chapelet, sans nervosité.

— Qu'est-ce qu'ils vous ont fait ?

— Presque rien... ou je révèle tout, ou ils exécutent mes Frères. Ils m'ont enfermé dans un bureau et j'ai commencé à écrire.

— Alors, vous cédez...

— Je n'en sais rien, avoua François Branier.

— Vous êtes dans de sales draps, Vénérable... J'espère que votre Grand Architecte ne vous abandonnera pas au mauvais moment. Pour les médicaments, c'est vraiment fichu ?

Les traits du Vénérable s'étaient creusés. Ce Moine ne lui laissait aucune marge de manœuvre. Il aurait préféré dormir, s'absorber dans le néant plutôt que de répondre à des questions sans fin.

— Ça dépend... si le commandant apprécie mes premières révélations, il se montrera peut-être généreux.

— Peut-être... vous croyez que je vais me contenter de ça ?

— Je ne crois pas, mon père. J'essaye.

Une plainte interrompit le dialogue des deux hommes. Le Moine se précipita vers le fond de l'infirmerie. Le Vénérable le suivit.

Le vieil astrologue niçois avait ouvert les yeux. Il gémis-

107

sait, regardant fixement le plafond. Le Moine lui essuya le front, trempé de sueur.

— Du feu... il y a du feu partout, balbutia le mourant.

Sa large main posée sur la poitrine du vieillard, le Moine le magnétisa. Le malade cessa presque aussitôt de soupirer. Ses paupières se refermèrent. Le corps se détendit et replongea dans la torpeur.

— Ça durera ce que ça durera, commenta le Moine. Je ne peux pas faire mieux.

— Demain, dit le Vénérable, je demanderai à voir le commandant avant de continuer à écrire.

— Vous n'auriez pas tort, grogna le Moine. J'en ai trois qui déclinent à vue d'œil. Et il paraît qu'on va recevoir un nouveau contingent de malades...

— Comment l'avez-vous appris ?

— J'ai mes petits secrets. Au boulot, maintenant. Prenez la rangée de droite. Je m'occupe de celle de gauche. J'ai préparé les décoctions dans deux bidons. Le vôtre est au pied du lit.

François Branier prit le bidon rempli d'un liquide vert, épais. Dieu seul savait quel mélange avait inventé le Moine. Le Vénérable goûta. Il recracha aussitôt. Innommable.

— Qu'est-ce que vous avez mis là-dedans ?

— Ce qu'on possède. Occupez-vous des malades.

Par moments, ce Moine méritait d'être maudit. Mais le Vénérable préféra ne pas répondre. Commença la litanie des soins dérisoires ponctuée de mots de réconfort. Il fallait donner, et donner encore, même ce qu'on n'avait pas, à ceux qui ne possédaient plus rien, même pas leur propre existence, diluée dans le désespoir.

Le Vénérable avait une odeur de forêt dans la bouche. Peut-être un arrière-goût de la dilution du Moine. C'était enivrant. L'infirmerie, les malades, la mort rampante... tout s'estompait. Il y avait des chemins verts, des fougères, des tapis de mousse, des arbres aux frondaisons percées de soleil, des branches entremêlées se courbant jusqu'à terre. François Branier vivait cette sensation avec tant d'intensité qu'elle en devenait réelle.

— Vous avez oublié un malade, intervint le Moine, furibond.

François Branier lui lança un regard agressif. Le rêve était brisé. L'enfer, de nouveau.

— Et si vous me fichiez la paix ?

Le Moine demeura impassible.

— Vous avez la tête ailleurs, Vénérable. Vous n'êtes pas présent. C'est très mauvais. Pour vous comme pour les malades.

— Vous donniez des leçons toute la journée, au monastère ? Nous, en loge, nous évitons.

— Normal. Vous ne savez rien. Les maçons sont des incapables.

— Parce que vous trouvez que votre belle religion n'a pas engendré assez de catastrophes sur cette terre ?

— Je ne suis ni missionnaire ni curé. Je suis moine bénédictin.

— Et moi Vénérable d'une loge initiatique.

Les deux hommes se défièrent. Ni l'un ni l'autre n'était décidé à céder le premier. La fatigue les gagnait. Mais céder, c'était reconnaître la supériorité de l'autre. Pis encore, sa vérité spirituelle.

Un malade appela. Un cri presque étouffé.

— Je m'en occupe, déclara le Vénérable.

— Tâchez de faire attention, cette fois...

François Branier avait sommeil, mais il ne dormait pas. Il ne réussissait même pas à fermer les yeux. A côté de lui, tête-bêche, le Moine ronflait doucement. Son Dieu le protégeait de l'insomnie. A moins que le bénédictin ne fasse semblant d'être assoupi. Le Vénérable ne savait que penser de ses « petits secrets ».

Il aurait été si simple de se lever, de sortir de cette infirmerie, de respirer l'air de la nuit, de se ruer vers le block rouge, de revoir ses Frères, de mourir avec eux en effaçant l'Histoire, le temps, les hommes. François Branier s'en estimait capable. Mais était-ce bien ce qu'ils attendaient de lui ? Espéraient-ils du Vénérable de la loge une ultime folie ou un nouveau combat ? Ils avaient forcément la certitude qu'il luttait pour les sortir de là. Et si, cette fois, ça ratait ? S'il connaissait le premier échec de sa vie initiatique ? Le jeu était truqué, il en ignorait les règles et, pourtant, il n'avait pas le droit de perdre. Tout se décidait sur une seule partie, sans revanche possible.

— Vous ne pouvez pas lui raconter n'importe quoi, au commandant ?

Grave, lente, basse, la voix du Moine provenait d'outre-tombe.

— Vous n'avez pas à me dicter ma conduite. Le diable ne commande pas à Dieu.

— Ici, on pourrait se le demander.

— Plus vous blasphémez, moins vous aurez de chances de survivre.

— Reposez-vous, mon père. Nous aurons besoin de nos forces.

— J'ai besoin de peu de sommeil. Comme vous.

Le Moine prit une profonde aspiration.

— Avez-vous pensé qu'ils pourraient vous garder définitivement dans la tour ? Que vous ne reviendriez pas, la prochaine fois ?

Le Vénérable attendait cette question. Il avait pensé à cet instant où, vidé de sa substance, il ne serait plus qu'un pantin entre les mains du commandant. A moins que celui-ci ne s'impatiente et pratique des méthodes plus brutales, brisant le pacte conclu avec la loge.

— J'y ai pensé. Aucun intérêt.

— Et votre fameux secret, Vénérable ? Vous allez risquer de crever en l'emportant avec vous ?

— Vous avez une autre solution ?

— La confession.

Le Vénérable, interloqué, observa le Moine, étendu sur le dos, immobile, les yeux fermés. On aurait juré qu'il dormait.

— Ça soulagerait votre conscience. Et vous pouvez avoir confiance. Le secret de la confession est inviolable. Aucun rapport avec celui des francs-maçons.

Le Vénérable sourit pour lui-même.

— Sans intérêt, mon père. La confession me paraît dégradante. Et soyez certain que le commandant du camp a parié là-dessus. S'il nous laisse ensemble, c'est pour que nous bavardions, pour que je finisse par me confesser à vous. Il doit être persuadé que vous connaissez déjà une partie de mon secret. Si je crève, si mes Frères crèvent, il se rabattra sur vous. Vous n'êtes pas franc-maçon, mon père, mais vous êtes devenu le complice de la loge.

L'aube naquit dans le block rouge par une fente minuscule entre deux lattes de bois. Guy Forgeaud avait réussi à desceller un morceau suffisamment grand pour pouvoir mieux observer ce qui se passait dans la cour. Il le remettait ensuite en place. Le camouflage tenait bon. Les cinq Frères avaient établi des tours de garde, de manière qu'au moins l'un d'entre eux demeurât éveillé pendant que les autres dormaient. Ainsi, ils avaient l'impression de combattre, de ne pas abdiquer. La vigilance était une arme efficace. La mort ne les prendrait pas à l'improviste.

L'Apprenti Jean Serval colla son œil à la fente. Il avait été réveillé une dizaine de minutes plus tôt par Dieter Eckart. Serval n'avait pas osé lui confier qu'il avait mal au ventre. Une douleur qui lui vrillait les intestins. La faim et la peur. Il n'existait que par le regard de ses Frères. Il était persuadé que, si on l'isolait, il s'effondrerait aussitôt. Serval n'avait pas été préparé à une telle épreuve.

Auparavant, il avait mené une existence plutôt douillette. Son entrée dans la loge avait bouleversé son destin. Lui qui se préparait à devenir un écrivain mondain, rompu aux mesquineries du parisianisme, avait découvert les exigences de la Règle. Perdu dans l'enfer de ce bagne nazi, il ne regrettait pas son choix. Il ne serait jamais une vedette littéraire, mais il était devenu un initié, même s'il n'avait franchi que la porte de l'apprentissage. Son seul remords : ne pas avoir travaillé avec assez d'intensité pour accéder au grade de Compagnon.

Des uniformes. Des silhouettes noires dans l'aube rouge. Klaus, l'officier supérieur SS, accompagné de quatre soldats. Jean Serval se précipita vers ses Frères endormis, les secoua.

— Debout ! Ils arrivent !

Dieter Eckart, Guy Forgeaud, André Spinot et Raoul Brissac furent aussitôt levés. A peine avaient-ils senti leurs muscles endoloris protester sous l'effort violent que la porte du block s'ouvrait.

Une lumière très blanche les agressa. L'officier supérieur, à contre-jour, formait une tache noire dans le rayon de soleil.

— Ordre du commandant, annonça-t-il. L'un d'entre vous doit être transféré à l'atelier de la forteresse.

Dieter Eckart, placé devant ses Frères, sembla n'éprouver aucune émotion. S'il avait été choisi, il se serait senti incapable de remplir pareille fonction. Ç'aurait été une condamnation déguisée. L'Apprenti Jean Serval tremblait. Ses dents crissaient en se frottant les unes sur les autres. Si on l'isolait de la communauté, il était fichu. André Spinot, le lunetier, s'abritait derrière la masse réconfortante de Brissac. Le travail manuel ne l'effrayait pas. Mais livré à lui-même, loin du réconfort fraternel, comment réagirait-il ? Le tailleur de pierre Raoul Brissac espérait être le volontaire désigné. Il volerait des outils. Il mènerait son combat. Il ferait payer les ordures qui avaient assassiné Pierre Laniel. Guy Forgeaud, le mécanicien, n'était inquiet que pour ses Frères. Lui n'avait aucune chance d'être choisi par les Allemands. Conformément à leur logique, ils prendraient le moins qualifié, pour l'humilier, le briser, l'amener à trahir.

— Allons-y, Forgeaud.

Le ton de l'officier supérieur était aimable, presque chaleureux. Guy Forgeaud passa quelques secondes à prendre conscience. Comme si les Allemands n'existaient pas, il donna l'accolade fraternelle à chacun des membres de la loge, sans se presser. C'était peut-être la dernière fois.

— A bientôt, les gars !

Sa voix était neutre, blanche. Il emboîta le pas des SS.

CHAPITRE 12

— La grande toilette, Vénérable. Tout le camp y passe, block par block. Le personnel de l'infirmerie en tête.

Le Moine et le Vénérable avaient été conduits devant le block des douches, à l'aube. Quelques instants auparavant, ils avaient entendu d'inhabituels bruits de bottes dans la grande cour. François Branier avait aussitôt pensé à l'un de ses Frères. Mais impossible de savoir ce qui se passait. Ni bruit de voix ni détonation. Le calme plat était vite revenu, comme si personne ne vivait à l'intérieur de la forteresse.

Klaus, l'officier supérieur, était venu en personne les arracher au monde clos de l'infirmerie. Comme à son habitude, le Moine l'avait défié du regard. Il ne le craignait pas. Klaus avait indiqué la direction des douches. Le Moine avait empoigné le Vénérable par le bras, de peur qu'il ne réagisse violemment en imaginant le pire. Branier avait obtempéré.

A pas lents, les deux hommes avaient traversé la grande cour. Les yeux du Vénérable étaient en perpétuel éveil, captant tout ce qui passait dans leur champ de vision. Sans remuer la tête, l'allure pataude, il absorbait. Le Moine avançait, tête basse, regardant par au-dessous. On aurait juré qu'il ne s'intéressait pas au décor qui l'entourait. En réalité, il prenait ses repères pour la centième fois.

Le casernement des SS, les blocks, la tour centrale, le mur d'enceinte... et cette cour dont il finirait par connaître le moindre centimètre carré. Avec une rigueur toute bénédictine, il classait, inventoriait. Le Vénérable croyait que le Moine méditait pour oublier le monde extérieur. Le Moine estimait que le Vénérable échafaudait d'utopiques projets d'évasion.

Le froid était vif, le ciel d'un bleu très pur. La porte du block des douches était entrouverte, laissant apparaître un sol cimenté. Aucun bruit ne provenait de l'intérieur.

Le Moine et le Vénérable attendaient depuis plus d'un quart d'heure.

— Je ne comprends pas, dit le Moine. La dernière fois, ils m'avaient fait entrer directement.

— On ne va peut-être pas se doucher, observa le Vénérable.

— Qu'est-ce que vous voulez dire ?

Le Vénérable ne répondit pas. Le Moine sentit une boule se former dans sa gorge. Il n'aimait pas ça. Les Allemands avaient des habitudes immuables. Quelque chose se préparait. Un événement dont ils semblaient être les acteurs privilégiés. A bonne distance, des SS hiératiques les surveillaient. Ils n'allaient quand même pas les tirer comme des lapins...

— Si on fonçait dans les douches ? proposa le Vénérable.

— Aucune sortie possible, objecta le Moine. Si on se fait enfermer là-dedans, on est foutus.

— De toute manière...

— Ne faites pas l'idiot, Vénérable. Ce n'est peut-être qu'un grain de sable dans la mécanique. Vous et moi n'avons pas droit à l'erreur. Attendons.

— Attendre... une balle dans le dos ?

— Nous ne mourrons pas comme ça. Trop rapide. Le commandant n'apprécierait pas.

— Sait-on jamais ?

Ils parvenaient à se parler presque sans remuer les lèvres. Leurs mots passaient dans un murmure à peine audible qui leur suffisait pour se comprendre.

— N'y allez pas, Vénérable. C'est un traquenard.

Le visage de François Branier s'était durci. Il se ramassait sur lui-même pour mieux bondir. Le Moine perçut son intention.

— Si vous faites ça, vous nous condamnez tous... vos Frères, vous, moi...

François Branier n'avait pas coutume d'hésiter. Quand il avait pris une décision, il s'y tenait. Mais il y avait une incertitude qu'il ne parvenait pas à dissiper.

— Qu'est-ce que vous proposez, mon père ?

— Rien, Vénérable. Ayez confiance en Dieu. Ça suffira pour le moment.

— Si ça peut vous faire plaisir...

Les nerfs du Vénérable se relâchèrent. Le Moine le ressentit. Il sut qu'il avait gagné. François Branier se reprocha ce qu'il considérait comme une sorte de lâcheté. Il avait subi l'influence d'un profane. Mais ce bénédictin pouvait-il être considéré comme tel ? Le Vénérable fut pris d'un vertige. Il y avait les initiés et les profanes. Entre eux, une barrière infranchissable. C'était ainsi depuis l'origine des temps et il en serait toujours ainsi. Que venait faire le Moine dans cet ordre éternel ? Pourquoi le perturbait-il, surgissant d'un monde intermédiaire, ni vraiment initiatique, ni vraiment profane ? Il possédait une puissance et une tranquillité d'âme que le Vénérable n'avait rencontrées que chez quelques rares Frères. Sans doute les avait-il acquises en pratiquant une règle, en vivant au nom d'un principe supérieur qu'il appelait Dieu. Mais il devait y avoir d'autres explications. Bien des religieux suivaient un mode de vie identique et ne lui ressemblaient pas.

Le Moine était moins sûr de lui qu'il ne l'avait jamais été. Il priait. Il ne bougeait pas, ne regardait rien, s'obligeait à demeurer en dedans de lui-même pour y puiser un maximum de sérénité. Il n'avait pas cru qu'il parviendrait à retenir le Vénérable, un être farouche, ancré dans sa communauté comme dans un paradis inviolable. Lui avait-il évité une erreur fatale ? Se trompait-il en affirmant que cette attente était un piège ? Seul point positif : il avait gardé la situation en main. Le Vénérable lui avait cédé le pas. Lui, l'individu le plus étonnant qu'il ait rencontré en dehors de son monastère. Le Moine n'éprouvait pas le moindre doute sur la vocation satanique des francs-maçons, mais celui-là ne ressemblait pas tout à fait à ses compères. Il parlait de la Règle comme s'il était moine... la Règle qu'il considérait comme son principal secret ! Il y avait là une formidable duperie que le Moine s'était juré d'éclaircir. En obligeant le Vénérable à baisser sa garde chaque jour davantage, il finirait par le déchiffrer.

Le jour avait envahi la cour. Des soldats passaient. Un véhicule démarra, monta la rampe du garage et sortit de la forteresse par le grand portail, vite refermé. Une journée normale.

— Crampe, dit le Vénérable.

— Tounez votre pied dans tous les sens, recommanda le Moine.

— Pas question de me donner en spectacle. Je vais être obligé de bouger. Pas le choix. Je fonce vers les douches. Vous me suivez ?

Le Moine se reprocha sa vanité. Il croyait avoir soumis le Vénérable, il s'était trompé. Rester là, sans remuer, pendant qu'il s'élancerait... le Moine ne s'en sentait pas capable. Il ne voulait pas laisser au Vénérable le privilège de mourir en combattant. Dieu ne le permettrait pas.

— Désolé de vous avoir fait attendre, dit Klaus, l'officier supérieur, s'interposant entre les deux hommes et l'entrée des douches. Un contretemps technique. Nous manquions de désinfectant.

L'Allemand arborait une mine réjouie. Le Vénérable

s'offrit une longue expiration. Le Moine regarda ses pieds.

Une forme agile, souple, rapide, vêtue de noir pénétra dans le block des douches, portant un lourd bidon. Le Vénérable l'avait reconnue, malgré son uniforme. Elle, la jeune femme blonde du chalet. Son alliée. Elle avait ramassé ses cheveux blonds en un chignon et les dissimulait sous une casquette dont la visière lui dissimulait le front. Elle devait rendre de menus services en échange de la protection des SS, à moins qu'elle n'ait été intégrée dans le personnel militaire. Mais le Vénérable ne pouvait admettre qu'elle partageât leur folie.

La désinfection ne dura que quelques minutes. La jeune femme ressortit, salua gauchement l'officier supérieur et s'éclipsa. D'un geste, Klaus ordonna au Moine et au Vénérable d'entrer à l'intérieur du block.

Une salle de douche pour une dizaine de personnes. Ils se dépouillèrent de leurs vêtements. Une eau froide jaillit des pommeaux. Elle glaça la peau du Vénérable qui s'habitua à la morsure. Se laver, se purifier... c'était bon. Le Moine avait choisi la place du fond. Soudain, il s'accroupit, descella une dalle. Une cavité apparut. A l'intérieur, un sac de toile.

L'eau cessa de couler. Encore trempé, le Moine se précipita vers ses vêtements, les enfila et dissimula le sac en l'aplatissant sur sa poitrine. Il serra son chapelet formant ceinture pour l'empêcher de glisser. Le Vénérable se rhabilla.

— C'est elle qui vous a apporté ça ?

Le Moine ignora la question. Il sortit le premier du block des douches, marchant à pas précautionneux.

Le contenu du sac de toile était étalé sur le lit de fortune, dans le réduit de l'infirmerie. De minuscules boules de pains fourrées au fromage.

— Voilà mon trésor, expliqua le Moine. C'est pour ça qu'elle risque sa peau à chaque fois qu'elle vient désinfecter les douches. Les malades en raffolent. Elle les cuit elle-même. Vous n'y toucherez pas, même si vous en crevez d'envie.

Le Vénérable haussa les épaules.

— Elle ne vous procure rien de plus utile ?

— Je ne lui ai jamais parlé. Elle agit comme bon lui semble.

— Comment avez-vous découvert cette cachette ?

— Elle l'avait laissée ouverte, la première fois où j'ai eu droit à la douche, seul.

— Vous n'avez pas craint une provocation ?

— Si... mais j'ai pensé aux malades. Ce serait toujours ça de pris.

— On pourrait tenter d'obtenir des médicaments, grâce à elle...

Le Moine commença la distribution des boules de pain. Les malades les avalèrent avec avidité, presque sans mâcher. Un parfum de fromage qui avait un goût de liberté et de jours heureux.

— Fichez la paix à cette fille, recommanda le Moine. Elle est assez compromise comme ça.

Le Vénérable fit manger une boule de pain au vieil astrologue niçois. Il continuait à mourir. Ses lèvres se parcheminaient.

— Tout va brûler, marmonna-t-il en mâchonnant avec peine. Tout... Le feu arrivera par le ciel, personne n'y échappera... personne !

L'astrologue se redressa, cambra le buste, répéta les mêmes phrases une dizaine de fois, puis retomba, inerte, les yeux fixés vers le plafond de l'infirmerie.

Le Moine et le Vénérable accomplirent leur besogne quotidienne. Nettoyer les malades, leurs lits, administrer quelques soins, prononcer les formules de réconfort qui ne trompaient plus personne.

— Pourquoi ne viennent-ils pas vous rechercher ? demanda le Moine. Vos révélations leur ont suffi ?

La porte du block s'ouvrit. Apparut Klaus, l'officier supérieur. Le Vénérable le regarda en face.

— Ce n'est pas vous que je viens chercher. Le commandant attend le frère Benoît.

CHAPITRE 13

Le commandant du camp déjeunait. Salade verte, mouton grillé, fromage de chèvre. Un arrivage spécial quotidien. Une nécessité pour entretenir le moral d'un homme auquel le Reich avait confié une mission décisive. Chaque nuit, dans le silence presque absolu, le commandant rédigeait un long rapport, analysant avec minutie le comportement du Vénérable, des Frères de sa loge et du Moine. Indispensable de jouer sur ces trois registres à la fois.

Les premiers résultats obtenus avaient été jugés intéressants. On était encore loin du but, mais la progression s'avérait constante. Les défenses du Vénérable s'effritaient. Il se savait pris au piège et n'entrevoyait pas d'échappatoire. Sa faiblesse, c'était sa loge. Il n'abandonnerait pas ses Frères, et il n'avait pas le droit de se sacrifier lui-même. Il était donc obligé de révéler les différents aspects de la Règle. Bien sûr, il utilisait la durée, retardant les aveux ultimes, la divulgation des secrets qui donnaient à « Connaissance » son caractère unique et ses pouvoirs exceptionnels. Les Frères enfermés dans le block rouge vivaient des heures de plus en plus pénibles. Privés de leur chef, ne sachant pas ce qu'il subissait, imaginant le pire, ils finiraient par perdre le mince espoir dont ils se nourrissaient encore. Dans leur situation, ils seraient incapables de maintenir leur cohésion. La mort de Pierre Laniel les avait ébranlés, mais le commandant souhaitait mieux : les diviser, les opposer entre eux, prouver au Vénérable que sa loge se décomposait. Ce serait un coup décisif.

Le commandant demeurait indécis sur les circonstances de la mort de Pierre Laniel. Coup de folie ? Volonté suicidaire ? Accident ? Il n'y avait pas d'explication satisfaisante. Une machination montée par les Frères, mais avec quelles intentions ? A quoi pourrait bien leur servir le décès de Laniel ? S'étaient-ils débarrassés du maillon le plus faible de leur chaîne ? Pierre Laniel ne donnait pourtant pas l'impression d'être fragile. Une loge telle que celle-là ne devait pas, en théorie, se comporter d'une manière aussi brutale envers l'un des siens. Même séparé de ses Frères, le Vénérable exerçait probablement une influence sur eux. La disparition de Laniel entrait-elle dans un plan qu'il aurait préétabli ?

Ces zones d'ombre gênaient le commandant. Il avait le vague sentiment de passer à côté d'un élément important. Néanmoins, il restait le maître du jeu. Il en créait les règles à sa guise.

L'agneau grillé fondait dans la bouche. Un régal.

— Votre visiteur, annonça l'aide de camp, sanglé dans son uniforme d'apparat.

— Faites entrer.

Le commandant posa sa fourchette et repoussa son assiette. L'aide de camp desservit et versa un verre de saint-émilion que son supérieur dégusta avec gourmandise pendant que la lourde silhouette du Moine, encadré par deux SS, pénétrait dans le bureau. La barbe drue, la robe de bure dans un surprenant état de fraîcheur, le chapelet-ceinture aux grains brillants... le frère Benoît emplissait la pièce de sa présence.

— Voilà bien longtemps que je n'ai pas eu l'occasion de vous consulter, mon père. Tout va pour le mieux ?

— Non. Manque de médicaments.

— Encore ce problème d'intendance ! Le docteur Branier l'a déjà évoqué... oublions ça. Il y a des sujets plus intéressants. Helmut !

L'aide de camp fit sortir les deux SS, ferma la porte du bureau et se plaça dans un angle de la pièce, mains croisées derrière le dos.

— Le seul sujet qui m'intéresse, insista le Moine, c'est la possibilité de soigner les malades. Je refuse de parler d'autre chose.

— Vous n'avez rien à refuser, mon père. Absolument rien.

Le Moine ne baissa pas les yeux. Le commandant appréciait cette réaction d'orgueil. Il aimait les êtres qui tentaient de lui résister, même s'ils avaient perdu d'avance. Briser ce Moine faisait partie de sa tâche. L'homme avait de multiples ressources, dont la rouerie innée des religieux. Sans le moindre regret, le commandant avait signé l'ordre d'exécution d'un grand nombre d'entre eux. Des bavards aux discours creux, sans intérêt. Les croyants l'ennuyaient. Mais ce bénédictin-là avait des pouvoirs hors du commun. Il pratiquait des arts secrets que les techniciens du Reich transformeraient en sciences efficaces.

— Comment se déroule votre collaboration avec le docteur Branier ?

Le Moine demeura sans réaction, comme s'il n'avait pas entendu la question.

— C'est un excellent médecin, je crois... votre avis, mon père ?

— Nous avons des devoirs à accomplir, lui et moi. Sans médicaments, nous échouerons.

Le commandant se resservit lui-même un verre de vin.

— J'ai l'impression que vous vous butez sur un détail, mon père. Je comprends vos difficultés... mais vous êtes bien obligé de vous plier aux lois de cette forteresse. Le Reich n'aime pas les malades. C'est un souci humanitaire qui me pousse à faire de cette infirmerie un modèle. Des médicaments... j'en obtiendrai, à condition que vous vous montriez beaucoup plus coopératif.

Le Moine fronça ses épais sourcils. Il aurait volontiers noyé le nazi dans son verre de vin et écrabouillé contre le mur son morpion d'aide de camp.

— Le docteur Branier est le plus redoutable des terroristes, continua le commandant. Franc-maçon, anticlérical, résistant, il a tué et fait tuer des dizaines d'innocents. Grâce à ses premières déclarations, nous avons pu démanteler de nombreux réseaux de saboteurs. Ils comprenaient des prêtres et des religieux trompés par la propagande. Branier est un homme courageux. Mais il est décidé à sauver sa vie.

— En quoi cela me concerne-t-il ?

Le Moine arborait une mine sévère, désapprobatrice. Le commandant fit claquer sa langue contre son palais. Le saint-émilion était gouleyant à souhait.

— François Branier est Vénérable d'une loge maçonnique unique en son genre. Elle possède des secrets qui intéressent le Reich. Je ne pense pas que Branier se confessera, mais vous pourriez l'amener à certaines confidences... si ce n'est déjà fait.

Le Moine leva les yeux vers le plafond.

— Dieu est mon seul confident.

— Si vous voulez des médicaments, mon Père, transmettez-moi tout ce que Branier vous révélera sur son secret.

— Vous voudriez me voir jouer le rôle d'un mouton ?

La voix du Moine était devenue rauque.

— Les mots importent peu. J'attends vos informations.

— Branier et moi n'échangeons que des propos médicaux. Je n'ai aucune sympathie pour ce genre d'individu, et je n'éprouve pas la moindre envie de converser avec lui. Il est franc-maçon et athée. Pire qu'un païen. Ce n'est pas le genre d'homme dont les confidences m'intéressent.

— Il faudra vous forcer, mon père, si vous désirez vraiment soigner vos malades... Nous reprenons notre cours de radiesthésie ?

Le commandant ouvrit l'un des tiroirs de son bureau et en sortit une baguette de sourcier en coudrier. Il se leva et se plaça à côté du Moine. Serrant les extrémités de la baguette avec le pouce et l'index, il la tendit devant lui.

— Je la tiens correctement ?

Le Moine rectifia la position.

— Décrispez-vous. Placez la baguette à hauteur de poitrine. Laissez-la vibrer.

Le commandant respecta les indications.

— Helmut !

L'aide de camp s'avança vers le bureau sur lequel il disposa cinq cartes retournées.

— Je cherche l'as de pique, déclara le commandant.

Il promena l'extrémité de sa baguette au-dessus de chacune des cinq cartes. Elle se souleva légèrement sur la deuxième en partant de la gauche. D'une main légèrement tremblante, il la retourna.

Un as de pique.

— Je crois que je fais des progrès, mon père.

Le Moine sentit une vague de pessimisme l'envahir.

Guy Forgeaud n'avait pas vu passer les heures de la journée. A l'atelier du sous-sol de la tour, on lui avait confié la réparation d'un moteur de jeep et d'une tourelle d'automitrailleuse en piteux état. Les Allemands manquaient de techniciens. Forgeaud proposa d'utiliser la soudure. Le SS chargé du matériel ne fit pas d'objection. Aussi le franc-maçon s'employa-t-il à saboter avec conscience ses soudures qui, malgré leur bel aspect, casseraient au premier choc. Forgeaud était passé maître dans ce type de travail. Il opéra avec une extrême lenteur et beaucoup de soin.

Seul point noir : difficile de voler quoi que ce soit, à

cause d'une fouille minutieuse à l'entrée et à la sortie de l'atelier. Si on permettait à Forgeaud de travailler régulièrement dans le local, il trouverait bien un moyen d'y parvenir.

L'atelier était trop propre. Peu d'outillage. Forgeaud croyait rêver. Se mouvoir dans son paysage favori, au cœur d'une prison... Sa surprise fut encore plus grande quand on le laissa seul. Il ne se priva pas d'explorer les recoins. En recherchant des tiges filetées dans un étroit couloir de rangement, il découvrit une inscription à la craie sur une petite porte basse : *Waffenschmiedsladen*, Armurerie. Un simple cadenas en interdisait l'accès. Forgeaud ne traîna pas dans les parages. Quand il revint dans l'atelier, tiges filetées en main, l'officier supérieur entrait.

— Satisfait de vos nouvelles fonctions, Forgeaud ?

— On fera pour le mieux... votre automitrailleuse est pourrie. J'en ai au moins pour un mois de travail. Il faut changer toutes les tiges filetées, refaire toutes les soudures.

— Bien, bien, acquiesça l'officier supérieur. On vous procurera le nécessaire. Vous travaillerez ici dix heures chaque jour, sans interruption.

Assis à sa table de travail, la tête dans les mains, le Vénérable ne se décidait pas à écrire. On était venu le chercher à l'infirmerie avant que le Moine fût revenu. Il valait mieux n'envisager aucune hypothèse. Mais une angoisse sourde empêchait François Branier de se concentrer, de trouver des mots qui ne trahiraient pas et donneraient pourtant au commandant le sentiment d'obtenir enfin la Règle secrète de la Franc-Maçonnerie.

L'Apprentissage. L'entrée de l'initié dans la communauté. Les premiers pas. La plume du Vénérable commença à courir sur le papier. Il était presque heureux d'avoir le temps de se consacrer à cette méditation, de stopper la course folle du temps, de revenir aux sources de son aventure spirituelle.

Il avait été un Apprenti révolté, contestataire. Il n'acceptait pas les ordres qui lui semblaient privés de conscience. Il exigeait beaucoup de ceux qui se disaient « Maîtres » et ne répondaient pas à ses questions. François Branier avait désespéré de l'initiation, songeant même à quitter la loge où le vieux professeur, son parrain, lui avait recommandé d'entrer. Une conversion s'était opérée lors d'un entretien avec le Second Surveillant, chargé de s'occuper des Apprentis. Il lui avait reproché d'être trop lui-même. Trop lui-même... Mais que restait-il de cette communauté qu'il avait rêvée ? Un profane déçu sous l'habit d'un initié, qui accusait ses Frères de ne pas lui offrir ce qu'il exigeait. Un monstre de vanité et d'égoïsme qui oubliait de se critiquer lui-même. François Branier avait compris qu'il devenait son principal adversaire, son obstacle majeur sur le chemin de l'initiation. Il s'était alors consacré à l'essentiel : les symboles et les rites qui lui avaient été révélés. Un voile s'était déchiré. L'Apprentissage avait commencé.

Le premier secret était la maîtrise des éléments : la terre, l'eau, l'air et le feu. Des symboles pour désigner les puissances vitales de l'univers que l'initié apprenait à connaître. Combien de soirées, combien d'heures pour s'éveiller à ces notions complexes, à les vivre, à les déchiffrer. Jean Serval, l'écrivain, était le dernier rescapé d'une génération d'Apprentis qui avait reçu une formation rigoureuse au point que les Maîtres des autres loges étaient mal à l'aise devant lui, tant il les surpassait par les profondeurs de ses vues et sa connaissance de la Règle.

Le Vénérable écrivit de longues pages concernant les rituels qui initiaient l'Apprenti à la connaissance des éléments. Il les relut, hésita, prêt à les déchirer, les trouva suffisamment ambiguës. Etrange retour en arrière... la période d'Apprentissage avait été aussi pénible qu'exaltante. La découverte d'un monde, celui de la loge, mais aussi le sentiment de s'égarer sur des routes sans fin, dans des paysages inconnus. L'Apprentissage, le temps du silence, du détachement par rapport à l'image qu'il se faisait de lui-même.

Le visage de la jeune Allemande s'imposa au Vénérable. Pourquoi prenait-elle des risques aussi grands, sinon parce qu'elle était hostile aux nazis ? Elle incarnait la porte étroite de la libération. Il fallait qu'il la contacte. Mais ses relations avec le Moine étaient obscures.

La porte du bureau s'ouvrit. L'officier supérieur se dirigea à grands pas vers la table de travail et s'empara des pages remplies de l'écriture du Vénérable.

— Le commandant vous attend.

Le Vénérable demeura debout près d'une demi-heure devant le bureau du commandant. Ce dernier, sans lever la tête une seule seconde, lisait avec attention le document que lui avait remis Klaus.

— Vous êtes un homme précis, jugea-t-il enfin. Précis mais obscur. Ces pages sont celles d'un philosophe. Pas d'un homme d'action.

Le commandant se leva et fit les cent pas entre son bureau et une fenêtre donnant sur la grande cour. Immuable et silencieux, debout dans un angle de la pièce, l'aide de camp observait.

— Votre dissertation m'a intéressé, Vénérable. Mais je crois que nous nous sommes mal compris. J'exige de vous le secret de ce que vous nommez votre « Règle ». De votre mode d'action sur le monde. Pas des discours ésotériques.

— C'est vous qui m'avez mal compris.

Le commandant se campa face à la fenêtre, tournant le dos à son interlocuteur.

— Pourquoi donc ?

— Parce que notre mode d'action sur le monde commence par des discours ésotériques. C'est le premier des secrets. D'abord former l'initié à ses tâches futures, loin de l'apparence. Comme si l'on préparait un athlète à battre un record sans le moindre entraînement physique. Tout repose sur l'attitude intérieure.

Le Vénérable se voulait convaincant. Le commandant se retourna avec brusquerie, agrippa la liasse de papier et la brandit sous le nez de François Branier.

— Vous prétendez que ce charabia contient le secret de votre loge ?

Le Vénérable soutint le regard furieux du commandant.

— C'est la vérité. Je suis incapable de formuler la Règle autrement.

L'Allemand se rassit.

— Pourquoi pas, après tout... je veux bien vous croire. Mais je dois être prudent. C'est pourquoi j'ai envoyé votre Frère Guy Forgeaud à l'atelier de mécanique. Un Maître maçon a des pouvoirs. Il nous en donnera la preuve malgré lui.

Le Vénérable blêmit. Qu'avait encore inventé ce démon ? En isolant Forgeaud, il réduisait la communauté, lui enlevait de sa puissance. Sans doute avait-il décidé de briser les maçons un à un, de les répartir dans le camp semaine après semaine...

Guy Forgeaud serait de taille à résister. Il garderait son sang-froid. Il utilisait les circonstances.

— Votre Frère Forgeaud est un excellent mécanicien, reprit le commandant. Nous lui avons proposé de réparer une automitrailleuse pour vérifier sa bonne volonté. J'espère qu'il ne commettra pas l'imprudence de la saboter.

Guy Forgeaud n'avait d'autre moyen de connaître l'heure que la fatigue de ses muscles. Il avait probablement travaillé une bonne demi-journée sans s'arrêter. Devant lui, la tourelle de l'automitrailleuse qu'il avait démontée. Il saurait rendre son sabotage invisible, même aux yeux d'un expert. Quelques mauvaises soudures auraient vite été repérées. Impossible d'admettre qu'il n'y ait pas un mécanicien compétent dans la garnison SS.

Que cherchait-on à obtenir de lui ? Le piéger en l'identifiant comme saboteur ? Forgeaud n'était pas homme à laisser gambader son imagination. La réalité s'avérait peut-être toute simple... le besoin d'un mécano de métier pour réparer un matériel déficient. La vraie préoccupation, c'était la loge. Il fallait s'emparer du matériel nécessaire pour célébrer une « tenue » et entrer dans l'éternité du symbole, au cœur d'une forteresse nazie. Il fit l'inventaire du matériel mis à sa disposition. Un vrai pactole. Mais il manquait la craie... détail idiot. Y en avait-il un seul bâton, dans cet atelier ? Il chercha. Rien. Il parviendrait à en obtenir. Il le voulait. La loge en avait besoin.

Partout où il se trouvait, Guy Forgeaud éprouvait la nécessité d'identifier les ouvertures donnant sur l'extérieur. Voir ce qui se passait au-dehors, c'était déjà la liberté. Il gratta les murs en quête d'un soupirail masqué, d'une fenêtre bouchée. Il décrocha le gros lot. Tout près du plafond, au-dessus d'un échafaudage rouillé, une grille obstruée par des chiffons graisseux, sans doute pour lutter contre le froid. Avant d'y toucher, Forgeaud les contempla longuement. Il grava leur disposition exacte dans sa mémoire. Quand il les ôta, un vent glacé lui fouetta le visage. La nuit tombait. Dans la cour, personne.

Un SS contrôlait le travail de Forgeaud toutes les heures. Ce dernier s'y fit rapidement, ressentant d'instinct l'arrivée du nazi. Il ne lui restait plus qu'à espérer que les Allemands ne changeraient pas leurs habitudes. Si jamais on le surprenait au sommet de l'échafaudage, regardant dans la cour...

Le Moine et le Vénérable avaient pris place, côte à côte, dans le réduit.

— J'ai soigné les malades tout seul. Le commandant vous a retenu longtemps.

Il y avait de la suspicion dans la voix du Moine. Comme si le Vénérable passait son temps à se planquer.

— Vous croyez que ça m'amuse ?

Irrité, le Moine manipula les grains de son chapelet.

— Que voulait-il ?

— Toujours la même chose. Le secret de la loge. Il n'a pas apprécié mes dernières pages d'écriture.

— Vous allez vous faire bouffer tout cru, déclara le Moine, acide. Vous avez tort de jouer au chat et à la souris avec ce type-là. C'est lui qui mène le jeu, pas vous. Savez-vous seulement si vos Frères sont encore vivants ?

— Pour Forgeaud, oui. Pour les autres, non. Mais vous, vous devez le savoir.

Le Moine s'empourpra. Il se tourna vers le Vénérable qui regardait devant lui.

— Qu'est-ce que ça veut dire ? Vous me traitez encore de traître.

— Pourquoi de telles pensées, mon père ? Je voulais dire que vous pourriez facilement le savoir.

— Comment ?

— En le demandant à la jeune femme blonde.

— Vous croyez que j'ai l'occasion de discuter avec elle ?

— Discuter... peut-être pas. Mais il suffirait de lui poser des questions en utilisant la cachette des douches. Elle circule librement dans le camp. Ça ne m'étonnerait pas que vous ayez mis au point d'autres petits trafics avec elle. Pour les médicaments...

— Fichez-moi la paix avec ces médicaments ! tonna le Moine.

Surpris, le Vénérable le regarda de côté.

— Vous n'en voulez plus ?

131

— Le prix à payer est un peu trop élevé.

— C'est-à-dire ?

— Ça ne vous regarde pas.

Le Moine se renfrogna, se demandant pourquoi il avait décidé de ne pas trahir ce franc-maçon qui méprisait Dieu et se moquait des croyants. Le plus misérable de ses malades valait dix fois mieux que lui, et il avait tellement besoin de ces médicaments... Mais il ne deviendrait quand même pas le pire des salauds. En gagnant la confiance du Vénérable pour livrer des informations au commandant du camp. Gagner la confiance du Vénérable... était-ce possible ? Cet homme trapu, costaud, au front large et dégarni, aux épaules massives, à la démarche tranquille semblait n'être la proie d'aucune passion, d'aucune émotion. Il n'avait pas perdu une once de son équilibre. Un bref instant, le frère Benoît pensa que François Branier aurait pu devenir un bon moine. Il chassa cette idée absurde.

— Qui est cette femme ? demanda le Vénérable.

— Aucune idée. Je n'ai jamais entendu le son de sa voix. Elle est venue une fois, ici, comme une ombre.

Le Moine dévoilait l'un de ses « petits secrets ». Le Vénérable apprécia. Il s'inquiéta aussi. Combien d'autres renseignements de cette importance le bénédictin gardait-il par-devers lui ? Qu'il n'éprouvât pas la moindre confiance envers son « allié » franc-maçon, quoi de plus normal ? Mais ne manigançait-il pas un plan tortueux, n'indiquait-il pas de fausses pistes conduisant à un guêpier ? Le Moine, comme n'importe quel autre prisonnier de la forteresse, songeait d'abord à sauver sa peau. Et à faire triompher son dieu. S'il offrait au commandant le secret du Vénérable, il aurait les meilleures chances de s'en tirer indemne. Un collabo de droit divin, en quelque sorte.

Le Vénérable se reprocha la bassesse de ses soupçons. Il aimait faire confiance. Les maléfices de la forteresse commençaient à l'atteindre. Mais être crédule lui était interdit.

Ce n'était pas son propre destin qui était en cause, mais celui de la loge. Dans cet enfer, chacun tenterait de tirer son épingle du jeu, le Moine comme les autres. Plus profondément, n'avait-il pas intérêt à voir mourir la dernière loge initiatique ? Contribuer à sa destruction serait même pour lui un titre de gloire. Le Moine était le pire adversaire de la loge, plus redoutable encore que le commandant SS.

— Elle est venue il y a plus d'un mois, continua le Moine. Les SS déjeunaient. La surveillance s'était relâchée. Elle portait l'uniforme. En entrant, elle mit un doigt sur sa bouche. Elle a déposé une petite caisse remplie de médicaments et elle est partie. Un souffle. Une apparition. Aujourd'hui, ma réserve est épuisée. Elle n'est pas revenue. A cause de votre présence, peut-être.

— Vous souhaitez que je me sacrifie ? interrogea le Vénérable.

— La réponse vous appartient. Encore faudrait-il que ce sacrifice soit utile.

— Vous avez une idée ?

— Je ne voudrais surtout pas vous influencer.

— Merci pour votre humanité, mon père. Je n'en attendais pas tant. Il vous reste un peu de soupe froide ?

Le Vénérable avait faim. Une formidable énergie renaissait en lui, car la situation lui paraissait enfin claire. Il avait identifié son principal ennemi, le plus vicieux. Le Moine était le maître de l'enfer.

CHAPITRE 14

Le Vénérable attendait. Klaus, l'officier supérieur, était venu le chercher tôt matin pour le conduire au bureau de la tour où il devait consigner les secrets de la loge « Connaissance ». Mais il n'y avait pas de papier sur la table de travail. Le stylo à plume d'or avait disparu. Pas le moindre crayon.

Plaisanterie sadique ? Oubli ? Une nouvelle épreuve conçue par un cerveau malade ? Le Vénérable cessa de s'interroger en vain. Attendre encore. Seule solution. Supporter l'isolement, accepter la présence du mal, se persuader qu'il rejoindrait ses Frères pour célébrer une « tenue » à la gloire du Grand Architecte de l'Univers.

Le Vénérable s'assit sur l'unique chaise de la pièce nue, face à la table de travail. Le vide. François Branier avait la patience chevillée au corps. Le temps ne l'effrayait pas. Il le laissait couler à travers lui, sans opposer d'obstacle. La vie initiatique lui avait appris que le temps n'existait pas vraiment. Il y avait le jour et la nuit, les saisons, le vieillissement, les cycles... mais c'était toujours le premier matin du monde, le premier instant où les destinées des êtres ne faisaient qu'une, où la vie ne se dégradait pas. Comme tout initié, François Branier portait en lui une jeunesse qui ressuscitait d'elle-même. Ses morts étaient en lui. Sa femme, le vieux professeur de français, Pierre Laniel... ils l'encourageaient à tenir bon, à domestiquer les ténèbres.

Avant de célébrer les mystères, les Frères de « Connaissance » avaient plusieurs fois évoqué l'éventualité d'une arrestation et même de la destruction de leur œuvre par la barbarie. Le Vénérable n'avait rien répondu aux angoisses exprimées. Il ne réconfortait pas. Il ne masquait pas la réalité. Avec une joie profonde, il avait constaté que ses Frères étaient prêts. L'épreuve les effrayait, mais ils ne paniquaient pas. Le Mal était dans l'ordre des choses. Le sol de la loge avait pour nom « pavé mosaïque », composé de carreaux noirs et blancs. Cachée dans le blanc, une parcelle de noir. Tapie dans le noir, une étincelle de blanc. La forteresse nazie voulait être le Mal absolu. Mais il y avait une parcelle de lumière dans cette obscurité-là. Au Vénérable de la discerner et de l'utiliser. C'était son métier, après tout.

Le plus insupportable était l'absence des « tenues ». Vivre en communion avec ses Frères, célébrer les rites, travailler à la gloire du Grand Architecte, former la Chaîne d'Union, avancer pas à pas sur le chemin de la connaissance avec la Règle comme guide... ces moments-là l'enivraient. Nul paradis ne pouvait leur être préféré. Le Vénérable comprenait les anciens qui rythmaient l'année par les rites, passant des journées, voire des semaines entières pour recréer le sacré, se mettre en harmonie avec les lois de l'Univers. Cette réalité-là, dont si peu d'hommes connaissaient l'existence, le Vénérable l'avait vécue au plus secret de la loge. Les initiés n'œuvraient pas pour eux-mêmes. Comme les moines du Moyen Age, ils travaillaient dans le silence d'une communauté qui rayonnait sans ostentation, maintenant un certain équilibre du monde. Comme les moines... Cette pensée irrita François Branier.

La clé tourna dans la serrure. Klaus, l'officier supérieur, ouvrit la porte.

Le Vénérable contint une exclamation de dépit. A côté de l'officier, il y avait la jeune femme blonde, en uniforme

135

SS. Ainsi, elle l'avait trahi. Elle le vendait aux nazis pour un regard. Elle jouait le jeu du Moine. On sacrifiait le franc-maçon. Blessé au plus profond de son être, le Vénérable garda une expression impassible.

— Un problème, monsieur Branier ?

Le Vénérable se détourna, allant s'adosser à la table de travail.

— Je manque un peu d'exercice. S'il y a des herbes à cueillir, je suis volontaire.

Il attendait une réaction immédiate de la part de la jeune femme. Elle continua à se taire, se tenant en retrait par rapport à l'officier.

— Les promenades sanitaires ne sont pas de mon ressort, monsieur Branier. D'autres souhaits ?

Le Vénérable hocha la tête négativement. Klaus s'amusait, tel un chat qui se prépare à porter son coup de griffe. Avec un témoignage direct à l'appui, il accuserait le Vénérable de tentative d'évasion ou de n'importe quoi d'autre.

— Allez-y.

L'ordre claqua. La jeune femme se dirigea vers François Branier. Il ne la regarda pas, pour lui faciliter la tâche. Dénoncer quelqu'un gêne au moins un instant les pires des traîtres. Il ne voulait garder d'elle qu'un souvenir clair, un sourire dans une forêt noyée de soleil.

Elle tendit le bras vers la table de travail et s'éloigna, nerveuse, regagnant sa place derrière l'officier supérieur.

— Travaillez bien, monsieur Branier, dit Klaus en sortant, accompagné de son acolyte.

Sur le bureau, elle avait déposé des feuilles de papier et une bouteille d'encre noire.

— Il faut savoir où est enfermé le Vénérable, exigea l'Apprenti Jean Serval.

— Je ne vois pas comment, avoua Dieter Eckart.

— Je ferai le guet le plus longtemps possible. Je finirai

bien par l'apercevoir dans la cour, déclara Guy Forgeaud.

Les SS avaient ramené Forgeaud à son block tard le soir. Pendant une bonne heure, avant de s'endormir d'un sommeil lourd, le mécanicien avait décrit sa première journée de travail forcé. Les Frères étaient tombés d'accord : la porte d'accès à l'armurerie cachait un piège. Mais Forgeaud ne désespérait pas d'y aller voir sans se faire prendre. Il était satisfait de ses premières expériences de soudure sur l'automitrailleuse. Le sabotage était invisible. Restait à espérer qu'il fût efficace.

— Si Guy réussit à nous rapporter des armes, dit Raoul Brissac le Compagnon, on passe à l'offensive.

— Il est fouillé à la sortie de l'atelier, objecta Dieter Eckart. Ce serait une folie de prendre un tel risque. Nous avons déjà perdu l'un de nos Frères.

— Et nous crèverons tous si nous restons passifs comme des bêtes d'abattoir ! s'emporta Brissac.

— Je ne pense pas qu'un Compagnon puisse employer ce ton-là devant un Maître, assena Eckart, très froid.

Un silence douloureux s'installa dans le block rouge. L'Apprenti Serval et le Compagnon Spinot évitèrent de regarder leur Frère Brissac. Ce dernier se détourna.

— Je n'ai pas voulu être agressif, expliqua-t-il, tendu. Je suis certain que notre survie passe par l'action. En commençant par faire payer à ces salauds la mort de Pierre.

— Tu n'as aucune décision à prendre, mon Frère.

Cette intervention mit fin au débat. Mais Dieter Eckart n'était pas dupe. L'absence du Vénérable serait bientôt un handicap insurmontable. Ils n'allaient pas tarder à se déchirer.

Combien j'ai besoin d'eux, s'avoua le Vénérable, incapable d'écrire. Seuls les visages des Frères de sa loge lui permettaient d'échapper au gouffre vers lequel il se sentait entraîné. Combien j'ai besoin d'eux, parce qu'ils existent vraiment, parce qu'ils sont nés à la conscience, à la vraie vie.

Comme chaque soir, le Vénérable se remémora le visage de chacun de ses Frères, l'un après l'autre. Il examinait leurs possibilités cachées, leurs entraves, les progrès qu'ils avaient accomplis sur le chemin, les causes de leurs succès et de leurs échecs. Leurs succès, ils ne les devaient qu'à eux-mêmes et à leurs efforts. Leurs échecs, c'était lui qui en portait la responsabilité. Il n'avait pas su les comprendre au bon moment, leur indiquer la direction, la manière dont ils auraient dû procéder. Souvent, il passait de longues minutes à méditer sur la loge, oubliant le sommeil, s'oubliant lui-même.

Il se passa la main droite dans les cheveux. Qu'il était lourd à porter, ce fardeau de Vénérable que les Maîtres de la loge s'étaient transmis de génération en génération. Nul roi, nul empereur, nul président d'une quelconque République ne pouvaient imaginer ce qui reposait sur les épaules d'un Vénérable d'une loge initiatique. Selon la Règle, ce dernier ne partageait son fardeau avec personne. Au terme de la vie communautaire où chaque Frère trouvait l'appui dont il avait besoin, dans n'importe quelles circonstances, il y avait cette immense solitude, ce désert brûlant où il fallait créer des nourritures, ce pays inconnu dont les routes étaient vierges. Comme il était merveilleux le temps où il n'était pas encore Vénérable, où il demandait conseil aux Maîtres, aux Surveillants, au Maître de la loge. Aujourd'hui, il n'y avait plus d'intermédiaire entre lui et le Grand Architecte de l'Univers. « Le Vénérable est le médiateur entre le ciel et la terre », affirmait la Règle. Que restait-il de l'individu François Branier, de ses goûts, de ses fantasmes, de ses ambitions ? Ils existaient encore, sans doute, mais loin de lui, dans une sphère extérieure à sa personne. La fonction de Vénérable s'était imposée à lui. Il n'en était ni fier ni triste. Cela faisait partie des risques et des nécessités du métier. Un Vénérable ne s'appartenait plus. Il était au service de sa communauté. Servir signifiait tout donner. François Branier n'était ni un mystique ni un romantique. Il n'avait pas le choix et c'était dans cette absence de choix que résidait sa liberté. De lui, il ne se préoccupait plus. Il s'était uni à un destin, sans fatalisme. L'avenir de la loge dépendait, en grande partie, de la route parcourue par le bateau dont il était le pilote.

Parfois, il aurait aimé quitter la barre, s'en remettre à un Frère plus expérimenté, plus compétent. Il maudissait ses insuffisances, sa vanité, sa médiocrité devant l'immense tâche qui lui revenait. Mais l'Œuvre continuait, la loge évoluait, ne lui laissant pas le loisir de s'attarder sur ses angoisses. Ici, dans cette forteresse où le temps humain avait disparu, elles resurgissaient, ombres disloquées. Quelle valeur avait un Vénérable privé de sa communauté ? Aucune, sans doute. Comment percevoir le chemin de la lumière ? En se dégradant à ses propres yeux, il amoindrissait la loge. Mais il n'avait pas le droit de se leurrer, de se prendre pour un surhomme, d'inventer des raisons d'espérer. Seul le rituel faisait de lui un Vénérable.

Plus que jamais, la loge lui demandait d'être le Vénérable, alors qu'il n'en avait pas la possibilité.

Le Moine en avait terminé avec ses « visites » du matin. Il avait lavé les malades devenus impotents, nettoyé les lits, distribué des soins. Quelques vrais soins. Car la femme blonde en uniforme nazi était revenue, avant l'aube, pour déposer des médicaments. Le Moine n'avait aperçu qu'une silhouette. Il avait manipulé avec tendresse le petit paquet posé sur le sol de l'infirmerie. De quoi tenir quelques jours supplémentaires, remporter quelques victoires sur la souffrance.

Depuis combien de temps le Moine n'était-il pas sorti cueillir des plantes ? Il ne savait plus. Il avait oublié de compter. Mauvais signe. Encore quelques négligences comme celles-là, et il sombrerait dans la résignation, la pire des démissions.

Le frère Benoît avait coutume de faire face à ses responsabilités. Dans le dernier monastère où il avait vécu, celui de Saint-Wandrille, en Normandie, on parlait de lui comme prochain abbé, fonction qu'il exerçait déjà de manière officieuse en raison du grand âge du titulaire. Ce souvenir-là ne le concernait plus. Il revivait ses promenades dans l'immense parc, les heures passées à méditer dans la forêt, la présence divine, les joies du travail manuel, le plaisir de la lecture. Ce qui lui manquait le plus, c'était le réfectoire. Une salle romane du XIᵉ siècle, aux proportions si parfaites qu'elle sanctifiait celui qui y pénétrait. Les tables étaient disposées en T. Au fond, l'Abbé. Les couverts étaient toujours mis, comme si des êtres invisibles célébraient un banquet pendant que les moines de chair et de sang vaquaient à leurs travaux quotidiens. Dès que Benoît posait le pied sur le sol du réfectoire, il se sentait transporté dans un autre monde, loin des mesquineries et des bassesses. Il y avait entre ces murs d'éternité beaucoup plus que du bonheur : l'harmonie. Quand chaque moine s'asseyait à sa place il éprouvait une béatitude qui effaçait fatigue, soucis, doutes. Manger ensemble, boire ensemble, penser ensemble procuraient à la communauté une lumière qui demeurait longtemps dans le cœur et dans la solitude des cellules.

Ce secret-là, le Moine avait été persuadé que seuls les bénédictins le connaissaient jusqu'à l'instant où il avait rencontré le Vénérable. Sans croire qu'une loge maçonnique eût le moindre point commun avec une communauté monacale, Benoît avait été étonné par l'exigence spirituelle qui animait cet homme, par son respect d'une Règle qu'il semblait considérer comme son bien le plus précieux.

Une quinte de toux secoua la vaste poitrine du Moine. Le manque d'air, sans doute.

CHAPITRE 15

— Vénérable, je ne suis pas du tout satisfait de votre travail.

Les narines pincées, les lèvres exsangues, les yeux inquisiteurs, le commandant du camp regardait François Branier comme un professeur rendu furieux par la mauvaise copie d'un élève. Il tenait entre ses mains les pages rédigées dans la journée par le Vénérable, d'une écriture fine, serrée, régulière.

— Ce que vous venez de lire est parfaitement exact. Je vous en donne ma parole.

— Je vous crois volontiers, Vénérable. Pour la révélation de détails sans importance, vous êtes imbattable.

— Sans importance, le tableau de la loge d'Apprenti ? La signification symbolique du maillet et du ciseau, du pavé mosaïque ? Je vous ai indiqué des éléments essentiels de notre vie initiatique.

Le commandant tendit les papiers à son aide de camp qui les rangea avec soin dans un classeur.

— Vous ne parlez que d'initiation, de symbolique, de recherche... inutilisable. Ce n'est pas ce que je vous demande.

— Je ne sais rien faire d'autre.

Debout face au bureau du Commandant, François Branier arborait un calme parfait. Le SS mentait. Il s'intéressait forcément à l'ésotérisme et à la recherche initiatique.

Il savait que cela faisait partie de la Règle. Il avait été mandaté pour enquêter sur ces dossiers-là. Il s'irritait parce qu'il se heurtait à un obstacle imprévu : le temps. Son atout majeur se retournait contre lui. A présent, il semblait pressé d'arriver à l'essentiel, au secret de la loge, à ses applications pratiques.

Pourquoi une telle urgence ? Pourquoi le temps devenait-il l'adversaire de celui qui croyait en être le possesseur ? Les Allemands craignaient-ils soudain de perdre la guerre ? Des libérateurs approchaient-ils de la forteresse ? Un nouvel espoir. Si l'hypothèse était exacte, le Vénérable pouvait envisager de gagner la partie. A moins de la perdre très vite, au contraire... Si le commandant était aux abois, il aurait recours à des méthodes plus barbares pour arriver à ses fins.

— La Règle ! Vous n'avez que ce mot-là à la bouche ! Un masque pour cacher votre véritable secret. Vos symboles m'ennuient, Vénérable. Ce sont des rideaux de fumée.

— Vous savez bien que non.

La voix de François Branier, autoritaire, avait résonné comme lors d'une « tenue », pour rectifier ou infléchir une intervention erronée. Le commandant eut un bref haut-le-corps.

Le Vénérable l'avait sciemment provoqué, pour tenter de vérifier le bien-fondé de son hypothèse. Les yeux de l'Allemand flamboyèrent, mais sa réaction s'arrêta là. Il prit une cigarette dans un coffret en nacre. Son aide de camp la lui alluma.

— Nous parlerons d'ésotérisme et de symboles plus tard, beaucoup plus tard, quand j'aurai obtenu des résultats. Ce sera le dessert, Vénérable. Le plat de résistance est l'organisation secrète de votre loge et le réseau qu'elle a tissé à travers l'Europe. Nous allons reprendre le dossier. Si nous évoquions vos voyages ?

Le Vénérable crut discerner une lueur amusée dans le regard ordinairement si terne de Helmut, l'aide de camp.

— J'ai beaucoup bougé, en effet, dans le cadre de mes activités professionnelles. Dès le début de la guerre fut créée une internationale de médecins combattants et...

— Laissez tomber ça, coupa le commandant. Ce n'est pas crédible. Vous avez utilisé cette filière pour une mission secrète. C'est elle que nous allons reconstituer ensemble, en commençant par Berlin, le lendemain de la déclaration de guerre. Vous voyagiez sous le nom de Hans Brunner, cardiologue. C'est bien vous, sur cette photo, n'est-ce pas ?

L'aide de camp présenta au Vénérable une photographie agrandie. L'intérieur d'un restaurant enfumé avec de nombreux officiers nazis et quelques civils. A une table, François Branier et deux hommes âgés aux cheveux blancs.

— Pourquoi nier l'évidence ?

— Excellente réponse, Vénérable. Qui sont ces deux hommes, pourquoi votre fausse identité, pourquoi à Berlin à une date pareille ?

— Deux collègues que je voulais aider à quitter l'Allemagne.

— Pourquoi pas ? ricana le commandant. Mais ces collègues-là, effectivement médecins, étaient aussi membres de deux loges berlinoises qui avaient été démantelées quelques mois auparavant. Ces deux maçons, anciens Vénérables, avaient réussi à passer entre les mailles du filet, osant même demeurer dans les cadres du parti ! Nous les avons arrêtés quelques semaines après votre visite. Ils sont morts sans rien révéler d'autre que des broutilles. Quelle a été la teneur de vos discussions avec eux, monsieur Branier ?

Le Vénérable avait été informé de la mort de ces deux Frères. Ils faisaient partie de ceux qui connaissaient le « Nombre », la Règle secrète de la Franc-Maçonnerie. Ce jour-là, à l'heure où le nazisme s'apprêtait à envahir l'Europe, ils lui avaient indiqué l'itinéraire à parcourir pour reconstituer les éléments épars destinés à préserver l'existence d'au moins une loge capable de transmettre l'intégralité de l'initiation. Branier avait pris tous les risques pour rencontrer ses Frères allemands qui refusaient de quitter leur pays et d'abandonner ceux à qui ils pouvaient encore être utiles.

— Nous avons fait le point sur les loges françaises et allemandes appartenant au Rite Ecossais Ancien et Accepté. Les francs-maçons prenaient enfin conscience de la gravité de la situation. Nous envisagions...

— Cessez de vous moquer de moi ! hurla le commandant en frappant du poing sur la table. Ces deux hommes étaient des révolutionnaires. Ils ont lutté contre le Reich, ils ont nié la vérité enseignée par le Führer. Ils vous ont confié la mission de combattre la pensée nazie, d'utiliser la Franc-Maçonnerie comme un réseau de sabotage et de subversion ! Voilà la réalité. Vous êtes le chef occulte du plus puissant mouvement de résistance à l'ordre nouveau. Vous utilisez des armes et des hommes que nous devons détruire. Votre loge est l'ultime foyer d'obscurantisme.

Le commandant écrasa sa cigarette sur le rebord du cendrier. Le Vénérable le jugea nerveux, inquiet. Il recourait à une rhétorique pompeuse, comme pour se rassurer lui-même et se galvaniser.

— Comment une petite loge comme « Connaissance » pourrait-elle être aussi puissante ? interrogea le Vénérable. Ses derniers Frères sont vos prisonniers. Le peu de pouvoirs dont nous disposions est entre vos mains.

— Analyse superficielle. Des Frères initiés par vous sont encore en liberté dans différents pays. Vous avez laissé en place des noyaux de Résistance. Je veux tout nettoyer. Aujourd'hui, il ne subsiste plus une seule loge en Allemagne. Il n'y en aura plus jamais. Il doit en être de même partout.

Le commandant se calma. Il reprit son dossier.

— Après Berlin, vous vous êtes rendu à Rome et à

144

Bologne. Là, vous vous présentiez comme le docteur Renato Sciuzzi, membre influent du mouvement fasciste. Vous avez contacté un ingénieur à Rome, lors d'une cérémonie de remise de décorations, et un ébéniste à Bologne, pendant les fêtes de Pâques. Encore la même méthode : se cacher parmi la foule, dans des manifestations officielles, oser se montrer en public avec des agents de subversion... superbe tactique, monsieur Branier. Un seul défaut : la photographie. Vous avez laissé des traces. Tellement visibles, dans la presse, que personne n'y a pris garde. Sauf moi, il y a moins d'un an. J'ai établi des recoupements. J'ai retrouvé trop souvent votre visage à côté de ceux d'agents de la subversion. Que faisiez-vous en Italie, monsieur Branier ?

Le Vénérable se souvenait des moments dramatiques passés dans une Italie ensoleillée, chaude, radieuse. Rome la passionnée, Bologne la secrète, un pays à la dérive, en proie à une ivresse de violence. Une étape plus que décevante dans le périple de François Branier. Les maçons tremblaient, mais ne croyaient pas au pire. Ils estimaient que le règne du Duce permettrait à une certaine Franc-Maçonnerie de survivre et n'avaient pris aucune précaution particulière pour protéger les archives, sinon de les transférer en province, à Bologne précisément, où François Branier avait consulté les documents concernant la Règle. Peu de temps après son passage, ils avaient été détruits après que des maçons jugés « dangereux » eurent été exécutés sommairement.

— J'ai revu des Frères que j'avais connus à Paris. J'ai tenté de leur faire percevoir le drame qui les anéantirait. En pure perte. Ce ne furent que des conversations sans importance.

— Rome, admettons... mais pourquoi Bologne, sinon pour rencontrer une cellule clandestine ?

L'aide de camp notait avec une régularité mécanique les mots prononcés par les deux interlocuteurs. Le commandant relirait pendant la nuit afin de trouver une faille dans l'argumentation du Vénérable, une indication qu'il aurait laissé échapper malgré lui.

— Il n'y a pas de cellules chez les francs-maçons initiés. Uniquement des loges. Nous n'avons pas de point commun avec les communistes. A Bologne, il n'y avait même plus de loge. Seulement le plus grand historien italien de notre confrérie.

Le commandant du camp sortit une photo du dossier posé sur son bureau.

— Cet homme-là ?

Un beau visage de sexagénaire aux cheveux argentés, de grosses lunettes d'écaille, une fine moustache blanche.

— Exact, répondit le Vénérable.

— Il est mort deux jours après votre visite et quelques heures avant notre perquisition. Curieuse coïncidence. Chez lui, nous avons trouvé des tabliers rituels, des médailles, des emblèmes... mais pas un seul document sur votre organisation subversive. Ne l'auriez-vous pas éliminé vous-même parce qu'il ne voulait pas vous suivre et risquait de vous trahir ?

Le Vénérable ne se départit pas de son calme. Bien qu'il fût debout, il ne ressentait aucune fatigue.

— Vous connaissez bien nos rites. Tout Maçon qui viole son serment a la gorge tranchée. Il se condamne lui-même. Pas besoin d'exécuteur.

— Vous voulez dire qu'il s'est suicidé ?

— Je ne veux rien dire. Il est mort.

— Vous prétendez que votre visite à Bologne fut inutile ?

— Pas du tout. J'ai pris connaissance d'un très ancien rituel d'initiation au grade de Compagnon fondé sur les polyèdres, les corps platoniciens et le pythagorisme. Grâce à lui, la loge « Connaissance » envisage de restituer ce grade dans sa pureté d'origine.

Excédé, le commandant alluma une nouvelle cigarette.

— Aucun contact avec les commandos antifascistes ?

— Pendant un séjour aussi bref, ç'aurait été difficile... et je n'ai jamais appartenu à la Maçonnerie politique. Mes pires ennemis vous le confirmeront.

L'Allemand tourna une nouvelle page de son dossier.

— Pendant les années 40-41, on perd souvent votre trace. Je n'ai aucune preuve formelle d'un voyage à l'étranger. Vous n'avez pas quitté la France ?

— Je me suis rendu dans presque cinq cents villes. Je changeais de lit chaque soir.

Le commandant se détendit. Il tira longuement sur sa cigarette.

— Nous y voilà... Vous mettiez au point votre réseau terroriste à partir des loges maçonniques dont vous étiez devenu le chef occulte.

Le Vénérable ne put s'empêcher de sourire, tant ses souvenirs étaient différents.

— Pas précisément... je souhaitais contacter les Frères désireux de sauvegarder l'initiation malgré la tourmente. J'espérais en trouver au moins une centaine dans la France entière. Partout, j'ai été rejeté comme un pestiféré. Les soi-disant Frères se terraient. Ils redoutaient les dénonciations. Ils me prenaient pour un provocateur. Surtout, le terme d'« initiation » et leur vocation maçonnique n'avaient aucun sens pour eux. La guerre avait fait voler en éclats leur humanisme de pacotille. J'ai compris que la Franc-Maçonnerie était morte. Seules quelques loges méritaient d'être sauvées. D'elles, la vie initiatique renaîtrait.

Le Vénérable avait failli dire « une seule loge ». Ç'aurait été avouer que « Connaissance » avait été choisie comme dépositaire du secret. Or rien n'était plus urgent que d'entretenir le trouble dans l'esprit du commandant. La vérité était si simple, si désarmante... jamais le SS ne voudrait la croire.

— Vous avez accompli ce périple dément en pure

perte ? Vous affirmez que votre but était strictement d'ordre initiatique ?

— On ne saurait mieux résumer.

— Vous avez tort de me sous-estimer, Vénérable. Vous étiez un agent de liaison idéal pour la Résistance. Vos passages dans les villes de France correspondent à des attentats, des sabotages, des assassinats d'officiers allemands... Hasard, peut-être ?

— Sûrement. Je suis incapable de manier un explosif sans me faire sauter moi-même.

Le commandant ricana.

— Normal... vous animez, vous dirigez, vous n'exécutez pas. Les résistants m'amusent. Nous avons noyauté leurs organisations. Et puis les Français ont un tel goût pour la délation ! Seul le réseau de vos loges manque au palmarès. Il me le faut.

— Je ne puis vous offrir que ma loge.

— Rien d'autre à révéler sur l'activité subversive de la Franc-Maçonnerie ?

— Rien à redouter pour vous de ce côté-là.

Le commandant demeura silencieux une longue minute, indifférent. Il tourna une nouvelle page de son dossier.

— De janvier à mars 1942, l'Angleterre... et pas seul. A vos côtés, Dieter Eckart. Toujours pour des motifs... spirituels ?

De la pointe de son coupe-papier, qu'il avait saisi comme un poignard, le commandant traçait des figures sur un buvard.

— Bien entendu. Nous nous étions assignés comme mission de contacter la grande loge d'Angleterre pour lui rendre compte de la situation. En France, j'avais été déçu par la lâcheté des Maçons. En Angleterre, j'ai piqué une belle crise devant leur insondable imbécillité. Un ramassis de décors, de médailles, de notables engoncés dans leurs règlements du XIXe siècle, coupés de leurs sources. Des momies. Des clubs de momies. Dieter Eckart était abasourdi. Nous avons eu plus de dix entretiens avec ceux qui prétendaient diriger la Franc-Maçonnerie et qui en avaient fait une coquille vide.

Le commandant fut troublé. Il se demanda si le Vénérable ne disait pas la vérité, si étonnante fût-elle. Au lieu d'être le chef occulte d'un réseau d'hommes dotés de pouvoirs redoutables, n'était-il qu'une sorte de dinosaure, l'un des derniers initiés ? Ruse suprême. Se faire passer pour moins que rien. Se réduire à la position d'un bon et loyal spiritualiste, apolitique, à côté des problèmes de son époque. L'attitude du Vénérable, sa bonhomie teintée d'autorité, sa sérénité rendaient le personnage tellement plausible ! Sauf pour un des hauts responsables de l'*Aneherbe*, chargé de détecter les pouvoirs occultes des sociétés secrètes et de les utiliser pour la victoire du Reich. Le commandant avait presque oublié le temps passé à mener son interminable enquête pour aboutir au centre de la toile, à ce François Branier, si dangereux à lui seul.

— Votre séjour britannique se serait donc soldé par un nouvel échec ? Vous n'auriez pas organisé la moindre base terroriste ?

— Pas la moindre.

— Avez-vous connu meilleur sort en Ecosse, où vous vous êtes rendu au printemps 1942 et d'où vous n'êtes reparti qu'à la fin de l'été ?

— Pas vraiment, répondit le Vénérable. Je n'avais plus guère d'illusions. Mais je désirais aller à Kilwinning. Là est née la forme médiévale du Rite Ecossais Ancien et Accepté. Une sorte de pèlerinage. Une manière de recouvrer des forces.

François Branier omettait de dire que la quasi-totalité des Frères de « Connaissance » s'était rendue à Kilwinning pour y vivre une « tenue » exceptionnelle, se régénérer à la source de leur rite.

Le commandant du camp tourna machinalement les autres pages de son dossier, une trentaine de feuillets entre lesquels étaient insérées des photographies et des coupures de presse.

— Inutile, je suppose, d'évoquer vos voyages ultérieurs en Espagne, en Grèce, en Belgique, aux Pays-Bas, en Norvège... ce sera toujours la même réponse ! Aucune activité révolutionnaire, pas de menées subversives, pas de réseau terroriste ! Seulement une mission initiatique pour regrouper les Frères dispersés !

— C'est bien cela, approuva le Vénérable. Seul le mot « mission » ne convient pas. Je ne cherche à convertir personne. Les initiés sont des bâtisseurs et des témoins, ni plus ni moins.

Le commandant devint glacial.

— Monsieur Branier... vous n'espérez quand même pas me convaincre ? Vous n'avez pas la naïveté de croire que je vais gober ce conte de fées ? L'alibi médical ? Vous n'avez pas croisé que des médecins pendant vos voyages. J'ai étudié de très près les lieux où vous avez séjourné et les personnalités que vous avez rencontrées. Beaucoup de physiciens, d'industriels, de spécialistes des technologies de pointe. Dans chaque pays, vous avez visité au moins une usine et un laboratoire de recherches. Je comprends pourquoi depuis que je connais les membres de votre loge.

Le Vénérable fit appel à sa puissance de concentration pour ne pas plier sous l'attaque décisive que le commandant se préparait à porter.

— Pierre Laniel, expliqua le SS, était industriel, grand connaisseur des problèmes de la métallurgie. Le professeur Eckart est l'un des premiers spécialistes mondiaux de l'histoire des techniques. Des firmes françaises et allemandes souhaitaient l'employer comme consultant. André Spinot ne fabrique pas que des lunettes. Son passe-temps, c'est l'étude des systèmes de propulsion. Il a déposé de nombreux brevets dont certains ont été retenus par des organismes officiels. Raoul Brissac a un domaine de prédilection : la résistance des matériaux. Son expérience de

Compagnon lui a enseigné des « trucs » de métier qu'aucun ingénieur ne connaît. Jean Serval est le fils d'un des plus grands physiciens français. Lui-même a suivi une formation scientifique très poussée. Sa thèse de doctorat portait sur la propagation des ondes. La littérature n'est qu'un alibi. Quant à Guy Forgeaud, votre mécanicien, il prend l'apparence d'un bon manuel sans compétence particulière. Du camouflage, sans doute. Au total, une équipe cohérente dont vous êtes l'animateur. Une équipe qui a reçu l'ordre de concevoir et de fabriquer une arme ultra-moderne pour vaincre l'Allemagne. Laquelle, monsieur Branier ?

Le commandant estima avoir entamé les dernières défenses du Vénérable. Mais ce dernier resta inerte, absent.

— Je ne vois pas à quoi vous faites allusion... à part la médecine, je n'ai qu'une culture scientifique très limitée.

Le ton du SS devint menaçant.

— J'espère que vous m'avez bien écouté ! Votre astuce suprême est d'apparaître en première ligne, vous qui n'êtes pas un technicien ni un scientifique. Vous vous servez de la Franc-Maçonnerie pour dissimuler une équipe de saboteurs. Vous avez cru que personne ne mettrait votre manœuvre à jour. Vous avez oublié que le Führer a donné l'ordre de détruire les sociétés secrètes. Elles ne peuvent abriter que le mal.

Le Vénérable fit un pas vers le bureau. Le commandant retint son souffle. L'aide de camp sortit son revolver d'un geste nerveux et le pointa vers François Branier.

— J'ai rarement entendu un tel ramassis d'inepties, dit le Vénérable, en proie à une colère sèche.

— Vous parlerez. Vous et vos complices.

— Il n'y a que la loge, la Règle et l'initiation. Rien d'autre.

— Votre position sera bientôt intenable, monsieur Branier. Comme celle de votre Frère Forgeaud.

— Que lui avez-vous fait ?

Le Vénérable était menaçant, comme s'il pouvait exercer un quelconque pouvoir. Le commandant sourit.

— Je l'ai placé dans son milieu naturel. Un atelier de mécanique. Nous saurons bientôt s'il n'est réellement qu'un modeste ouvrier.

CHAPITRE 16

— Sauf votre respect, Vénérable, j'ai l'impression que vous nagez dans la soupe.

Le Moine contemplait le Vénérable, prostré. Il n'avait pas prononcé un mot depuis que les SS l'avaient ramené à l'infirmerie. Le Moine l'avait laissé dans cet état un long moment, ne lui demandant même pas de s'occuper des malades. Mais cela ne pouvait durer éternellement. Le Moine avait les dépressifs en horreur.

— J'aimerais savoir pourquoi...

La voix du Moine était pressante. Le Vénérable leva les yeux vers lui.

— Ils vont me bousiller un Frère.

— Qui ?

— Guy Forgeaud, le mécanicien. Le commandant l'a envoyé à l'atelier.

— Dans quelle intention ?

— Lui tendre un piège. J'ignore lequel. Aidez-moi.

Gêné, le Moine lissa les poils de sa barbe.

— Moi ? Comment ?

Le Vénérable fixa le Moine avec une intensité qui fit presque frissonner ce dernier.

— La blonde... je suis persuadé qu'elle et vous avez organisé un réseau à l'intérieur du camp. Prenez le risque de l'utiliser pour prévenir Forgeaud. Qu'il se tienne tranquille et joue les mécanos bornés.

Le Moine toussa à plusieurs reprises.

— Vous avez pris froid ?

— Non. Une vieille bronchite qui se réveille. Je ne comprends pas. Pourquoi Forgeaud doit-il faire semblant de se montrer incompétent ?

— C'est un mécanicien de génie. Il est capable de bricoler n'importe quoi, même ce qu'il ne connaît pas. Le commandant est persuadé qu'il est en réalité un ingénieur de haut niveau.

— Et c'est faux ?

— Evidemment.

— Et vous, il vous prend pour qui ?

— Pour le coordinateur d'une équipe de terroristes qui se dissimule derrière le voile de la Franc-Maçonnerie.

— Ce ne serait pas une si mauvaise idée, apprécia le Moine.

Le Vénérable avait jugé bon de dire la vérité. Si le Moine était de mèche avec les Allemands, force lui serait de reconnaître que Branier avait été sincère. Le Vénérable avait hésité. Mais il n'existait qu'une solution pour prévenir Forgeaud : se servir du Moine en lui donnant le moins possible d'informations. Tenter d'éveiller sa curiosité, l'obliger à transmettre un message pour intriguer Forgeaud. Ruse plutôt misérable et risquée. Une chance très mince de réussite. Que faire d'autre ?

— Vous avez la stature pour monter un coup pareil, estima le Moine. Votre Maçonnerie, c'est du toc. Du trompe-l'œil. Vous et votre équipe, au contraire... un commando d'élite comme celui que vous dirigez, j'aurais aimé en faire partie.

— Il n'y a pas de commando d'élite ! rugit le Vénérable. Il y a une loge, tombée dans les mains de fous criminels !

Le Moine se gratta la joue, l'air peiné.

— Vous n'avez pas confiance en moi, Vénérable. Peut-être croyez-vous vraiment que j'ai signé un pacte moral avec les nazis.

François Branier demeura silencieux. Le Moine conclurait à sa guise. Tant que le doute subsisterait, il ne saurait comment agir.

— Quel message désirez-vous faire parvenir à Forgeaud ?

— Qu'il ne touche à rien, répondit le Vénérable.

Guy Forgeaud s'habituait au cérémonial. Les SS venaient le chercher chaque matin à l'aube pour l'emmener à l'atelier. Chaque matin, comme s'ils n'existaient pas, il donnait l'accolade à ses Frères.

Quand la porte de l'atelier fut verrouillée de l'extérieur, Guy Forgeaud n'y prêta pas attention. Son regard fut attiré par l'objet gris acier posé sur des tréteaux. Un cylindre métallique, une sorte de turbine miniaturisée, pourvue d'ailerons, évoquant une fusée futuriste. La curiosité du mécanicien fut aussitôt éveillée. Il croyait avoir vu les moteurs et les propulseurs les plus extravagants, mais celui-là... il tourna autour de l'engin avec respect, remarquant qu'il était bosselé en plusieurs endroits. Une furieuse envie de le démonter s'empara de lui. Voir ce que ce monstre avait dans le ventre devenait une nécessité impérieuse. Forgeaud posa la paume de sa main droite sur le métal glacé, comme pour le caresser.

Il recula. Et si ce machin était piégé ? S'il lui sautait à la figure ? Les nazis avaient peut-être décidé de lui offrir une belle mort mécanique, pour s'amuser.

Il apprivoisa sa peur. Et le désir revint. Démonter pièce par pièce, comprendre. Si ça sautait, ça sautait. Avant de commencer, Forgeaud monta à son poste de guet pour voir ce qui se passait dans la cour. Une bouffée d'évasion.

Un peu de liberté chapardée. Au sommet de l'échafaudage, il s'attarda.

Un « clic » très faible, presque inaudible. La porte de l'atelier s'ouvrit. Tétanisé, Forgeaud n'eut pas le temps de descendre de son perchoir. Piégé. Le premier uniforme nazi entra. Le Maître maçon se battrait. Il sauta à terre et se trouva nez à nez avec un visage de femme.

— Ne touchez pas à cet engin, articula-t-elle dans un français approximatif.

Elle lui tourna le dos, sortit de l'atelier. La porte se referma derrière elle. Elle fut à nouveau verrouillée de l'extérieur.

Le Moine dormait à poings fermés, épuisé par sa journée de travail. Deux décès. Il avait placé les cadavres sur le seuil de l'infirmerie, les pieds devant. Les SS s'en étaient emparés à la nuit tombante.

Le Vénérable avait passé la journée dans la petite pièce de la tour qui lui servait de bureau. On ne lui avait donné ni à boire ni à manger. On avait ôté stylo et papier. Ses confessions ne semblaient plus intéresser le commandant. François Branier avait dormi comme un chat, perpétuellement sur le qui-vive, s'éveillant au moindre craquement. Un faux sommeil, un faux repos. La sensation de la solitude absolue, douloureuse. Il fit le vide dans sa pensée, se réduisant à une vie végétative, un état primitif où souvenirs et désirs étaient abolis.

Quand les deux SS le poussèrent dans l'infirmerie, le soleil était couché depuis longtemps. En passant dans la cour, le Vénérable avait capté un parfum de fleurs printanières. Autour de la forteresse, l'hiver reculait. A l'intérieur du block, son odorat fut aussitôt agressé par la mort, la maladie, la souffrance. Il prit soin de ne pas réveiller le Moine. Il allait s'étendre lorsqu'un appel provint du fond de l'infirmerie. La voix désarticulée du vieil astrologue niçois.

Il s'était redressé, le buste droit. Il agrippait son drap avec rage, comme si c'était le dernier lien avec la vie. François Branier le prit par les poignets. Surpris, le vieil homme resta la bouche ouverte.

— Qui est là ? murmura-t-il, paniqué.

— Docteur Branier. Je vais vous soigner. Calmez-vous.

L'astrologue tenta de se lever. Le Vénérable l'en empêcha.

— Je veux m'en aller. Je veux retourner à Nice.

— Dès que vous serez guéri. Vous êtes trop faible pour voyager.

Le malade leva les yeux vers le plafond de l'infirmerie, comme s'il avait entendu une voix venant du ciel.

— C'est beau, Nice. Il y a du soleil, beaucoup de soleil... des fleurs aussi... vous savez comment elles aiment, les fleurs ? Elles attendent que le soleil perce la nuit, puis elles s'ouvrent, pétale après pétale, pour ne pas perdre une goutte de lumière. Le zodiaque, c'est une fleur. Il s'ouvre quand on le regarde dans la lumière. Moi, j'ai vu l'avenir. C'est du feu. Nous mourrons tous. Nous serons brûlés, calcinés comme du vieux bois rongé aux vers. Je connais la date et l'heure. Moi seul.

Il y avait tant de passion, tant d'émotion dans la voix du vieillard que le Vénérable se laissa prendre au jeu.

— Pourquoi, vous seul ?

L'astrologue sourit. Enfin, on lui posait la bonne question.

— Parce que je suis le seul à avoir prévu le début de cette guerre... et aussi sa fin. Mais il n'y aura plus personne pour la voir. Rien que du feu, une boule de feu dans le ciel.

François Branier saisit l'astrologue par les épaules, l'obligea à se tourner vers lui.

— Quand ? Quand finira ce cauchemar ?

L'astrologue retint son souffle.

— Un feu, un brasier, bientôt... ce monde est foutu.

— Bientôt ? Qu'est-ce que ça signifie, bientôt ?

— Avec les astres, on n'est pas à un mois près... ils ne vivent pas le même temps que nous.

Un fou. Un pauvre fou. Un instant, le Vénérable avait cru que le vieillard était un voyant, qu'il avait ressenti un événement futur. Mais il ne faisait que divaguer, suivre des chemins sans issue dans le paysage de sa démence.

Soudain, il plaça ses deux mains tremblantes autour du cou de François Branier et serra. Le Vénérable ne se débattit pas.

— Vous n'avez pas le droit ! Vous n'avez pas le droit de détruire ce monde, même s'il est pourri... Jurez-moi que vous ne cracherez pas du feu, vous aussi !

— Calmez-vous, recommanda le Vénérable, sentant des ongles s'enfoncer dans sa chair.

— Alors... c'est vous, l'incendiaire ? Vous qui mettrez le feu au monde ?

Ce qui restait de vie dans ce corps décharné et malade se concentra dans l'extrémité des doigts. François Branier comprit que le vieillard avait décidé de le tuer. Pour éliminer le danger. Pour se persuader qu'il supprimerait le malheur annoncé. Le Vénérable ne parvenait plus à respirer. Les mains de l'étrangleur se raidissaient dans un ultime effort.

Du poing, le Vénérable frappa la poitrine de l'astrologue. Ce dernier ne lâcha pas prise. Au contraire, le coup peu appuyé le stimula. Du sang perla au cou de François Branier. De la main gauche, il écarta violemment le vieillard.

L'astrologue retomba sur sa couche. Il râla doucement. Puis il ferma les yeux. Le Vénérable plaça son oreille droite sur la poitrine du vieillard. Il ne percevait plus les battements du cœur.

Quand le Vénérable s'éveilla, le soleil brillait haut dans le ciel. Un rayon passait sous la porte de l'infirmerie.

— Je vous ai laissé dormir, dit le Moine. Le camp semble mort, ce matin. Il se passe quelque chose d'anormal. Ils n'ont même pas ramassé le cadavre que j'ai poussé dehors.

— L'astrologue niçois ?

— Non. Un plus jeune. Un voyant.

— L'astrologue est mort, lui aussi.

Le Moine parut étonné.

— Je lui ai donné à manger, il y a moins d'une heure.

Le Vénérable se leva, se dirigea vers le fond du block. Sur sa couche, le vieillard râlait de manière presque imperceptible. François Branier écouta, plusieurs minutes durant, le souffle d'outre-tombe qui semblait devoir s'interrompre à chaque instant et qui continuait, inlassable.

Il revint dans le réduit où le Moine préparait des médicaments.

— Hier soir, son cœur ne battait plus.

— Il y a des miracles, Vénérable. Même ici. Où en êtes-vous avec le commandant ?

— Calme plat. Mes révélations ne l'intéressent plus.

— Détrompez-vous. Une tactique comme une autre. Il les essaye toutes. Il veut votre secret. C'est sa raison de vivre. Il a presque tous les atouts en main.

— Pourquoi « presque » ?

— Parce qu'il se fait des illusions... il n'y a qu'un seul secret. La connaissance de Dieu.

— Trop mystique, mon père. N'oubliez pas que je dirige une cellule de terroristes chargés de mettre au point l'arme nouvelle qui abattra l'Allemagne.

Le frère Benoît haussa les épaules.

— Puissiez-vous dire vrai. Mais ce serait trop beau que des francs-maçons aient eu une idée aussi géniale. Vous êtes un vrai franc-maçon. Vous croyez à votre initiation.

J'ai peur que votre loge ne soit qu'un ramassis de braves types égarés sur de mauvais chemins.

Le Vénérable rentra la tête dans les épaules et regarda le sol. Ce discours-là, il l'avait entendu mille fois. Le Moine était trop subtil pour l'utiliser sans arrière-pensée. Il prêchait le faux pour savoir le vrai. Il le poussait à la faute, tel un joueur d'échecs commettant une erreur apparente.

— Où est le bon chemin ? demanda le Vénérable.

— Votre Grand Architecte vous abandonne. Normal. Le bon chemin, c'est Dieu. Il est la porte, la vérité et la vie. Tout ce qui ne passe pas par lui est condamné à mourir.

— Vous voilà bien intolérant, mon père. Ou bien vous convertissez, ou bien vous excommuniez. Je ne cherche qu'à être témoin. Témoin de la lumière.

— Que pouvez-vous connaître de la lumière divine ?

— Au moins la même chose que vous et sans doute un peu plus, puisque vous n'êtes pas initié, répondit le Vénérable. Vous avez pris un mauvais chemin et vous n'avez plus le courage d'en changer.

Le Moine s'empourpra. Une énorme colère gonfla sa poitrine. Il parvint à se contenir. Le Vénérable l'avait désarçonné l'espace d'un instant.

— Nous avons fait un pari, Vénérable.

— Il tient toujours, mon père. Je n'ai qu'une parole.

— Vous feriez mieux de renoncer. Dieu vous le pardonnerait.

— Le Grand Architecte n'apprécie pas ceux qui renoncent.

A l'extérieur, des bruits de bottes. Le chuintement d'un cadavre qu'on tire par les pieds, devant l'infirmerie. Des ordres en allemand.

— La vie reprend, observa le Moine.

CHAPITRE 17

— Félicitations, monsieur Branier, dit le commandant, sentencieux.

Le Vénérable avait été conduit à son bureau peu après la tombée du jour. Il n'avait pas quitté l'infirmerie depuis la veille au soir. Un travail harassant, de nouveaux malades. Des astrologues et des voyants tchèques, la plupart dans un état pitoyable. Ces hommes avaient été torturés. Aucun ne survivrait longtemps. Le Moine leur avait donné l'extrême-onction.

— Vous êtes un excellent meneur d'hommes, continua le commandant. Même séparés de vous, vos Freres vous obéissent. Je suis persuadé que vous avez des contacts... télépathiques.

Les yeux du SS brillaient. Ses doigts passaient et repassaient sur une boule de métal qui lui servait de presse-papiers. L'aide de camp, Helmut, prenait des notes sur le grand cahier posé sur le lutrin.

— Je n'ai aucun don dans ce domaine, rétorqua le Vénérable.

— Vraiment ?

— Vraiment.

— Comment expliquez-vous que votre Frère Guy Forgeaud ait dédaigné la magnifique turbine que je lui avais offerte comme appât ? Un modèle ultra-secret sur lequel un technicien comme lui aurait dû se jeter !

François Branier sourit, sans insolence, tel un fauve amusé par l'agacerie d'un plus faible que lui.

— C'est la preuve que Guy Forgeaud est un simple mécanicien sans compétences particulières.

— Oubliez cet argument stupide, monsieur Branier. Dites-moi plutôt que ma stratégie était grossière, que mon piège était naïf !

— Je ne sais pas.

Un silence tendu suivit les paroles du Vénérable. L'aide de camp cessa d'écrire, attendant la réaction du commandant. Ce dernier posa la boule de métal, alluma une cigarette et commença à faire les cent pas devant la fenêtre de son bureau. Il marchait comme une mécanique bien réglée.

— Il y a une autre explication, Vénérable. Pas besoin de télépathie ni de naïveté. Il existe un réseau d'informations à l'intérieur de la forteresse. L'expérience prouve que les pires cachots n'empêchent pas les prisonniers de correspondre entre eux. Il ne sera pas trop difficile d'identifier les coupables. Qu'en pensez-vous ?

Le Vénérable se sentait pris dans un étau. Le commandant jouait gagnant. Si Forgeaud avait commis l'imprudence de saboter la turbine, il aurait révélé ses compétences. S'il n'y touchait pas, il dévoilait l'existence d'une organisation de résistants au cœur même de la forteresse. Mais le commandant l'ignorait-il vraiment ? Ne laissait-il pas le Moine, la jeune Allemande et quelques autres agir pour mieux les contrôler ? A moins que le Moine ne fût le pire des traîtres, travaillant en collaboration avec le commandant. En ce cas, la jeune Allemande était sa complice. Et comment être certain que Forgeaud n'était pas tombé dans le piège ? L'information provenait du commandant, source pour le moins douteuse.

Une fois encore, il fallait stopper le tourbillon, trouver

un point de repère, un ancrage. La veille de son initiation, le parrain de François Branier lui avait dit : « Un jour, tu n'auras plus aucune certitude, aucun espoir, aucun désir. Tu seras perdu dans une nuit noire, sans pouvoir faire appel à quiconque, car tu seras le Maître de la loge. Les Frères attendront tout de toi. Tu seras l'homme le plus seul que la terre ait jamais porté. A cet instant-là, ou bien tu craqueras, ou bien tu commenceras à percevoir ce qu'est l'initiation. »

Le moment annoncé par le vieux sage était venu.

— Que savez-vous de ce réseau, monsieur Branier ?

— Je suis au courant de tout, répondit le Vénérable.

Le commandant marqua un temps d'hésitation, puis reprit sa marche mécanique.

— Je vous écoute.

La décision s'était imposée au Vénérable comme une fulgurance. Elle avait balayé les arguments raisonnables. Peu importait de savoir s'il s'agissait ou non d'une erreur. Si c'était le cas, elle serait définitive. François Branier n'avait aucune plage de réflexion à sa disposition. Le simple fait de différer sa réponse aurait constitué un indice. Le commandant ne laissait rien au hasard. C'était un concept étranger à sa pensée. La moindre de ses paroles, le plus anodin de ses gestes étaient calculés. Le Vénérable connaissait bien cette méthode pour l'avoir lui-même utilisée. Mais ici, dans ces conditions-là, il ne serait pas de taille. Sa seule arme était la spontanéité. La vision dans l'instant, avec une prise de risque maximum. Comme le disait souvent Pierre Laniel, ça passe ou ça casse.

— Ce réseau n'existe pas.

— Prenez garde, monsieur Branier. Je n'accepterai pas...

— C'est beaucoup plus simple que ce que vous imaginez. Aucun des Frères de ma loge n'agit sans un ordre formel de ma part. Forgeaud comme les autres. Quand une difficulté se présente, ils attendent.

163

— Vous êtes un véritable dictateur, observa le commandant, sceptique.

— La loge fonctionne selon une hiérarchie qui ne se discute pas. Vous le comprendrez aisément, non ?

Le SS continua son va-et-vient.

— Comment transmettez-vous ces ordres formels ?

— Par des signes.

— Lesquels ?

Le Vénérable posa la main droite sur son épaule gauche, tout près de son cou.

L'aide de camp traça aussitôt un croquis sur le grand cahier.

— Ce n'est pas un signe maçonnique. Vous faites n'importe quoi.

— Ce n'est pas un signe habituel, en effet. Il est particulier à ma loge. Saine mesure de sécurité.

— Pas de messages codés pour communiquer entre vous ?

— Si. A condition de pouvoir les faire parvenir.

— Quel code utilisez-vous ?

— Croix et points sur une grille. Le plus classique, avec quelques variantes. Il était en pratique dans les loges allemandes. Vous en possédez sûrement quelques exemplaires. Mais je n'ai pas revu Forgeaud et je n'ai pu lui adresser le moindre message. Il restera passif, comme les autres, tant qu'il n'aura pas reçu d'instructions émanant de moi et de moi seul.

Le commandant s'assit à son bureau, ouvrit un dossier.

— Helmut, faites reconduire le Vénérable à l'infirmerie.

— Comment ils nous l'ont arrangé, constata Raoul Brissac en contemplant son Frère Forgeaud, dont le visage était couvert d'ecchymoses.

Le mécanicien venait de se réveiller, après avoir passé

164

une nuit agitée. Il portait des traces de coups sur la poitrine.

— Pourquoi ne l'ont-ils pas envoyé à l'infirmerie ? demanda l'Apprenti Serval.

— Sans doute pour qu'il ne rencontre pas le Vénérable, avança Dieter Eckart.

Guy Forgeaud, un œil au beurre noir, la lèvre supérieure éclatée, les pommettes violacées, esquissa un sourire.

— Les frangins, j'ai fait une grosse connerie.

Les survivants de la loge « Connaissance » entourèrent leur Frère, étendu sur le sol du block rouge.

— D'abord, le petit déjeuner, exigea André Spinot.

Ils n'avaient pas touché à leur dernière ration de choux bouilli de manière à réserver un festin pour Forgeaud. Ils l'aidèrent à redresser le buste et à manger. Il mastiqua chaque bouchée avec la jouissance d'être encore vivant.

— Fameux, apprécia-t-il.

Son élocution laissait à désirer. Mais ses Frères ne perdirent pas une seule de ses explications.

— Je n'ai pas touché à leur foutu engin. Une sorte de bombe volante pourvue d'ailes métalliques. J'avais pourtant envie de démonter cette saloperie. Mais ça aurait forcément laissé des traces. Me présenter ce machin comme un gâteau d'anniversaire, c'était quand même un peu gros. Et puis il y a eu une fille costumée en SS qui est apparue dans le paysage. Elle m'a recommandé de ne toucher à rien et elle a disparu. Le problème, ç'a été l'inaction. J'avais terminé mon boulot de sabotage. Il ne me restait plus que l'armurerie. Là, je n'ai pas pu résister. Je l'ai ouverte. Pas d'armes, rien que des bouteilles de vin blanc. J'ai pas eu le temps d'en goûter une. Les SS me sont tombés sur le dos. Ils ont cogné dur. Je suis tombé dans les pommes. Je me suis retrouvé ici. En voyant vos binettes, j'ai cru que j'étais arrivé au paradis des francs-maçons !

Pour la cinquième fois de la journée, le Moine récita la prière des morts. Il évoquait le royaume céleste qui, dans son esprit, prenait la forme des bâtiments de l'abbaye de Saint-Wandrille, du réfectoire où les moines célébraient le banquet rituel, de la bibliothèque où ils déchiffraient les écritures, du cloître où ils rassemblaient leurs pensées en marchant d'un pas éternel, des cellules où ils vivaient un face-à-face avec la Présence. Se surimposant à ces images, celle du cimetière caché dans un bois, sur la hauteur dominant l'abbaye. Là étaient enterrés les frères, reposant au rythme des saisons, dans le silence des jours et des nuits qu'animaient les prières rituelles. Ce cimetière où le Moine aurait tant voulu reposer, lui aussi.

Tout près, un petit oratoire, caché sous des chênes. Certains frères venaient y méditer de longues heures, laissant leur regard se perdre au loin dans la vallée. Lui, Benoît, le plus costaud de la communauté, le plus travailleur, le plus énergique, était aussi le plus contemplatif. Il lui arrivait d'oublier les saintes heures où les Frères faisaient oraison. On envoyait le plus jeune le chercher.

Le Moine ne connaîtrait plus le bonheur parfait de cette solitude lumineuse. Il se reprochait ce manque de foi, ce refus du miracle toujours possible. Dieu accomplissait Sa volonté, pas celle d'un individu. Si ce monde devait être détruit, pourquoi se révolter ? L'heure de la fin des temps avait peut-être sonné. Etre témoin d'un pareil événement, du retour du créé vers le Créateur, ne devait pas inciter au désespoir. Mais l'humanité avait-elle touché le fond de l'horreur ? S'agissait-il du terme ou du début d'atroces convulsions qui feraient disparaître les dernières traces d'harmonie ? Benoît songeait à la première communauté de moines qui avait civilisé un Occident en proie aux pires barbaries. Cruel avait été le jour où, trop nombreux, les frères avaient dû se scinder en deux communautés. Quel dilemme, dans le cœur de l'abbé, que de désigner les frères chargés de partir au loin pour fonder un nouveau monastère. Le Moine se sentait en exil, sur une terre inconnue, dans un monde de ténèbres où il avait ordre de déceler une parcelle de lumière. Investi d'une mission ? Il n'en tirait aucune vanité. Cela ne changeait rien à la réalité. Mais Dieu ne pratiquait pas les jeux de hasard. S'il avait placé un Moine dans cet enfer-là, c'était forcément pour prouver que le Mal n'était pas absolu.

Souffrance, espérance, vie, mort, lumière, ténèbres... sur la grande roue du destin, tout était en place. A l'exception d'une inconnue : la présence de ce Vénérable. Le Moine devait admettre qu'il avait imaginé autrement le pire des suppôts de Satan. Le Vénérable remplissait peut-être une mission, lui aussi, mais laquelle ? De quel poids pèserait le Grand Architecte face à Dieu tout-puissant ? Certain de gagner son pari, le Moine se racla la gorge, énervé, déclenchant une nouvelle quinte de toux.

Elle se confondit avec le ululement sinistre des sirènes de la forteresse.

CHAPITRE 18

Raoul Brissac, le tailleur de pierre, se tenait l'œil collé à la fente pratiquée dans le bas de la paroi du block rouge donnant sur la grande cour. Il attendait, inlassable. Il aurait attendu pendant des siècles. Sa blessure à l'oreille lui causait encore des élancements aigus, mais il n'en avait cure. Le salaud qui lui avait volé son anneau de Compagnon et tué Pierre Laniel le payerait de sa vie. Pour le moment, l'intendant paraissait intouchable. Un boucher au regard inerte dont le visage obsédait Raoul Brissac. Il ne pourrait plus vivre tant que ce type-là existerait. On ne laisse pas impunie la mort d'un Frère.

Impossible d'agir seul. Hors de question de mettre d'autres Frères en danger. Raoul Brissac patientait, observait des heures durant. Il guettait l'occasion favorable. Elle viendrait. Il la désirait avec tant de force qu'il en créait magiquement les conditions. Lors de l'initiation au grade de Compagnon, on révélait, dans la loge « Connaissance », l'utilisation de la puissance personnelle, la manière de manipuler les énergies intérieures. Une capacité de modifier le cours des choses de manière infinitésimale certes, mais de le modifier quand même en projetant sa volonté vers le but à atteindre. Le Vénérable aurait peut-être reproché à Brissac d'utiliser un pouvoir, de détourner une force spirituelle vers la matérialité. Le

Compagnon refusait à l'avance cette critique. La sauvegarde de la loge passait par le combat. Il fallait attaquer, briser la mécanique de l'adversaire, lui prouver que son système n'était pas infaillible. Et d'abord venger Laniel.

Les événements se déroulèrent si vite que Raoul Brissac n'eut pas à réfléchir. Il se laissa porter par son instinct. D'abord, il vit sortir de la tour centrale un homme titubant. Ses vêtements étaient en feu. Il n'avait plus la force d'hurler. Derrière lui, deux SS, aux uniformes également en feu, portant une énorme marmite d'huile d'où sortaient flammes et fumée. L'un des deux, un colosse, parvint à parcourir quelques mètres au prix d'un effort inconcevable. Ses mains restèrent collées au métal brûlant. Il s'effondra contre la paroi d'un block qui s'enflamma aussitôt.

Les sirènes de la forteresse se déclenchèrent à l'instant où les premiers déportés sortirent du block pour éviter d'être brûlés vifs. Les SS jaillirent de leur caserne, armes aux poings. Ils tirèrent sur des détenus, fous d'espoir, essayant d'escalader les murs de la forteresse. D'autres commencèrent l'évacuation des blocks et obligèrent les prisonniers à se rassembler devant la tour, dans l'axe des toilettes. Les francs-maçons furent les derniers à sortir.

Pendant quelques minutes, la confusion fut totale. Le feu qui gagnait, les brûlés qui hurlaient, les secours qui s'organisaient trop lentement, les insensés qui essayaient de fuir n'importe où, la lance à incendie qui ne fonctionnait pas correctement, les seaux devenus introuvables, les SS qui tiraient en l'air pour ne pas toucher leurs camarades, les meneurs qui prenaient soin de quitter les rangs dès qu'ils se formaient.

Raoul Brissac avait repéré l'intendant. Dans la main droite, le Compagnon tenait une tige de métal empruntée au petit arsenal que la loge s'était constitué. A pas rapides, un peu courbé, Brissac progressa, invisible, dans les lueurs sombres de l'incendie.

Un block entièrement détruit, un autre à moitié calciné, des cadavres vite sortis de la forteresse : tel se présentait le seul bilan que les Frères de « Connaissance » pouvaient estimer. Le moment de panique passé, des rangs de prisonniers s'étaient enfin formés dans la grande cour sous le contrôle des SS. Klaus, l'officier supérieur, avait rétabli l'ordre en moins d'un quart d'heure. L'incendie était maîtrisé.

Les francs-maçons avaient regagné leur block sous la conduite d'une dizaine de SS aux nerfs tendus. Chaque Frère ressentait un étrange malaise. L'incident semblait pourtant clos, mais l'angoisse rôdait, comme si l'incendie n'était que le prélude à un malheur. La ration du soir ne leur fut pas distribuée.

— Personne n'a vu le Vénérable ? demanda Dieter Eckart.

Serval et Spinot secouèrent la tête négativement. Ils avaient aidé Guy Forgeaud à se déplacer, pendant que Dieter Eckart observait ce qui se passait autour d'eux pour les prévenir du danger.

— Et toi, Raoul ?

Le Compagnon Brissac était aussi renfrogné que le jour où il avait subi la première « enquête » qui déciderait de son avenir initiatique. Le front bas, les yeux proches l'un de l'autre, il s'enfermait en lui-même.

— Raoul... je t'ai posé une question, insista Dieter Eckart, étonné par le mutisme de son Frère.

— Non. Je n'ai pas vu le Vénérable.

Le dernier espoir s'envolait. Pour la première fois, les Frères de « Connaissance » avaient aperçu leurs camarades d'infortune, les autres déportés. Au moins trois cents. Beaucoup d'hommes âgés.

— Bon Dieu, où peut-il être ? explosa Guy Forgeaud dont l'énergie semblait à peine entamée par ses blessures.

— Vous ne croyez quand même pas que... demanda André Spinot, d'une voix anxieuse.

— Je n'ai pas vu le Moine non plus, observa l'Apprenti Jean Serval.

— Ils les ont peut-être liquidés tous les deux, dit Brissac, sombre.

— L'infirmerie n'a pas brûlé, objecta Dieter Eckart. Ils n'ont pas fait évacuer les malades.

— Incendie, dit le Moine.

— On dirait que ça panique.

Le Moine et le Vénérable entendirent des hurlements, des ordres en allemand, des martèlements de bottes, des tirs en rafale.

— J'ai l'impression qu'ils vont nous laisser rôtir ici, avec les malades.

— Ils en sont bien capables, apprécia le Moine. Je vais bénir nos protégés.

La lourde carcasse du bénédictin s'ébranla en direction des lits. Il se retourna vers le Vénérable.

— Vous ne vous préparez pas à la mort, dans votre loge ?

— Nous la vivons symboliquement lors de l'initiation au grade de Maître. C'est la seule manière de la connaître de l'intérieur. Quand un Frère meurt, nous célébrons une tenue funèbre. Ce n'est pas l'individu que nous honorons, mais son tablier d'initié. Pour nous, il ne meurt pas. Il passe à l'Orient éternel. Son être devient lumière. C'est une étoile qui guide ses Frères demeurés sur terre.

Le Moine adopta l'attitude sévère qu'avaient bien connue certains novices dont il avait assuré la formation.

— C'est de la poésie, votre affaire, du paganisme, du...

— Pourquoi, mon père ? Ce n'est pas une étoile qui a guidé les mages vers le Christ ?

Le Moine grommela une réponse indistincte.

— Vous méprisez l'humanité, Vénérable. Vous n'accordez d'intérêt qu'à vos Frères.

François Branier croisa les bras, dans une attitude que connaissaient bien les jeunes Frères qu'il avait orientés vers les mystères.

— Vous admettez tout le monde dans votre cimetière, mon père ? Vous n'y regroupez que les Frères du monastère, je crois... Vous formez une élite, vous aussi. Je vous ai toujours envié cette manière de vivre le repos éternel. J'ai visité quelques cimetières bénédictins, perdus dans des sous-bois, isolés sur des flancs de colline, immergés dans le silence. Tous ceux qui ont vécu, travaillé, prié ensemble sont rassemblés là, unis pour l'éternité. Quand un Frère vient méditer près d'eux, il revoit leurs visages. Il pleure en dedans, mais il les prolonge. Il les continue.

— Occupons-nous des malades, interrompit le frère Benoît.

Klaus et quatre SS firent irruption dans l'infirmerie. Ils poussèrent dehors le Moine et le Vénérable, obligèrent les malades à se lever et les firent avancer à coups de crosse dans les reins. Trois d'entre eux, incapables de bouger, furent exécutés d'une balle dans la tempe.

Devant le block des toilettes, les SS avaient entassé pêle-mêle les cadavres des brûlés et les débris de bois calcinés, encore fumants. Les regards du Moine et du Vénérable furent attirés par l'estrade sur laquelle avait été déposé le corps d'un SS. A côté, le commandant de la forteresse, raide dans son uniforme impeccable, jambes légèrement écartées, mains croisées derrière le dos. Près de lui, son aide de camp.

En longues files résignées, les prisonniers sortirent de leurs blocks et furent alignés sur une vingtaine de rangs, face à l'estrade. Le Moine et le Vénérable se trouvaient à l'extrémité gauche de la première rangée. François Branier tourna vainement la tête de côté pour essayer d'apercevoir ses Frères. Ceux-ci, placés à l'arrière, ne virent pas le Vénérable. Les SS firent respecter un alignement impeccable puis se rangèrent eux-mêmes en carré autour des déportés.

Une plainte musicale s'éleva. L'ouverture du *Vaisseau Fantôme* de Wagner. Deux prisonniers parlèrent et bougèrent. Ils furent aussitôt désignés par l'officier supérieur, sortis des rangs et roués de coups. Le commandant demeura immobile jusqu'à la fin de l'Ouverture. Le Moine pria. Le Vénérable invoqua le Grand Architecte de l'Univers. Ni l'un ni l'autre ne demandèrent une grâce précise, cherchant seulement à intensifier une présence.

La musique s'éteignit. Les jambes de certains se faisaient lourdes. Des malades s'effondrèrent. Le commandant attendit que le silence fût parfait. Il prit la parole.

— Un crime inqualifiable a été commis. Un soldat du Reich a été lâchement assassiné, poignardé dans le dos. Que le coupable se désigne immédiatement. Sinon, je fais exécuter deux prisonniers toutes les minutes. Klaus, commencez le compte à rebours.

L'officier supérieur regarda sa montre. Le Moine se demanda qui avait été assez fou pour accomplir un acte pareil. Le commandant ne se contenterait sûrement pas d'une seule victime expiatoire. Il fermerait peut-être l'infirmerie, supprimerait des rations, instituerait un régime de travaux forcés, multiplierait les sévices. C'était sans doute un petit groupe qui avait profité de la confusion pour se venger d'un garde-chiourme, croyant se comporter en héros. Le Moine n'entrevit qu'une solution. Se dénoncer avant la fin du compte à rebours. Et se montrer convaincant pour expliquer comment il s'y était pris. Dommage de perdre ainsi un pari gagné d'avance. Mais il fallait sauver des vies.

Trente secondes s'étaient écoulées. Le Vénérable était certain que les Frères de « Connaissance » étaient responsables de cet attentat. Sans doute le prélude à une tentative d'évasion avortée. Ils l'avaient cru mort et n'avaient pas voulu crever comme des chiens. Il n'y aurait pas de seconde chance. Le Vénérable était acculé à s'accuser du meurtre du SS.

Il espérait sauver ses Frères. Le Maître du chantier avait le devoir d'intervenir quand les œuvrants étaient menacés. Il perdrait son pari et le secret du Nombre serait enfoui dans les ténèbres.

Encore vingt secondes. L'officier supérieur commença à les égrener à haute voix. Dix-neuf, dix-huit, dix-sept... Le commandant savait que le ou les coupables se dénonceraient. Réaction d'insensés ? Coup de force ? Dans moins de quinze secondes, il serait fixé. Il imaginait l'assassin mort de peur, hésitant à entrouvrir les lèvres. Il faudrait probablement exécuter quelques détenus pour le convaincre.

Le Moine avait pris sa décision. Il se manifesterait cinq secondes avant le terme. Mais une hypothèse lui taraudait l'esprit. Ne s'agissait-il pas d'une mise en scène ? Le commandant n'avait-il pas ordonné ce meurtre pour mettre les francs-maçons dans une situation inextricable ?

Treize secondes, douze, onze...

— C'est moi !

Une voix puissante couvrit celle de l'officier. Raoul Brissac, partant du dernier rang, fendit les files de détenus, bousculant ceux qui ne s'écartaient pas assez vite. L'effet de surprise joua à plein. Les SS, attendant un ordre qui ne venait pas, ne tirèrent pas. Brissac s'arrêta net à un mètre du commandant qui n'avait pas modifié sa position.

— C'est moi qui ai liquidé cet assassin.

— De quelle manière ? interrogea le commandant.

Raoul Brissac contemplait le cadavre, placé sur le ventre. A la base du cou, une tige de métal profondément enfoncée.

— Comme ça ! hurla le Compagnon en se ruant sur la dépouille mortelle du SS qui avait tué Pierre Laniel et lui avait volé son anneau.

Il arracha la tige de métal et la planta à plusieurs reprises dans le cadavre. Pendant qu'il frappait, son regard croisa celui du Vénérable.

Ce fut sa dernière vision. Des SS se ruèrent sur lui.

— Exécution immédiate, ordonna le commandant.

Raoul Brissac n'avait pas vacillé. Dans ses yeux, il y avait la fierté farouche que François Branier avait discernée chez son futur Frère dès leur première rencontre. Brissac était un homme d'honneur. Un terme ridicule qui n'avait plus cours. Mais le Compagnon Brissac se moquait des modes. L'honneur de la loge et de ses membres passait avant toute autre considération. Trop indépendant, il n'avait pas supporté d'être atteint dans son âme et dans sa chair. Il avait commis, une fois de plus, l'erreur qui lui barrait encore la route de la Maîtrise : agir seul, de son propre chef, sans consulter la communauté.

— Pourquoi a-t-il fait ça ? demanda le Moine.

Tous les détenus avaient été réintégrés dans leurs blocks. L'infirmerie était à moitié vide. François Branier semblait être dans un état second. C'était la première question que le Moine osait lui poser depuis deux bonnes heures.

— Il estimait que c'était son devoir.

— Voyez où ça l'a mené...

Le Vénérable regarda le Moine avec une sévérité qui lui fit froid dans le dos. Une présence... voilà ce que lui rappelait ce franc-maçon. Une immense présence, comparable à celle du premier abbé qu'il avait rencontré.

— Ça l'a mené à l'Orient éternel, mon père. Il y rayonnera pour nous aider à vivre.

Brissac l'indompté, Brissac l'indomptable... il était

sorti de l'espace et du temps pour se fondre dans la lumière.

— Je vous remercie de ce que vous avez voulu faire, dit le Vénérable.

Le Moine fut pris au dépourvu.

— De quoi voulez-vous parler ?

— De la décision que vous aviez prise. Je l'ai lue sur votre visage. Vous vous seriez accusé pour éviter un massacre. Vous avez de l'estomac, mon père.

Le Moine toussa.

— Vous n'aviez peut-être pas envisagé la même solution ?

— Vous vous seriez sacrifié pour un franc-maçon...

— J'ignorais qu'un de vos Frères avait fait le coup ! Sinon...

— Sinon ?

La poitrine du Moine fut secouée d'une nouvelle quinte de toux.

— Vous devriez vous soigner, mon père. Si vous désirez un diagnostic...

— Pas besoin. Je n'ai jamais consulté de médecin. Je ne vois pas pourquoi je commencerais aujourd'hui. Je me soignerai tout seul. Nous ferions mieux de dormir.

Le religieux se coucha sur le côté, inquiet. La mort de Raoul Brissac l'avait profondément impressionné. Lui aussi avait croisé le dernier regard du Compagnon qui, à lui seul, avait défié la puissance nazie. D'une certaine manière, il avait réussi. La première brèche dans la forteresse, c'est à lui qu'il fallait l'attribuer. Le commandant avait conscience du danger, si minime soit-il. Comment réagirait-il ? Le Moine aurait aimé prévoir les coups, mais son esprit ne se détachait pas de la personne de Raoul Brissac, ce franc-maçon qui avait choisi son destin avec une détermination inébranlable.

La Franc-Maçonnerie était une force nuisible. Pas question de revenir là-dessus. Mais les francs-maçons de cette loge-là... dans quelle catégorie les ranger ? Comment ne pas admettre qu'ils se comportaient comme de véritables Frères ? L'esprit de commando suffisait peut-être à tout expliquer. Pourtant, dans les yeux de Raoul Brissac, le Moine avait discerné cette lumière que seuls quelques moines d'exception avaient su faire naître en eux-mêmes.

Le Vénérable demeura prostré la nuit entière. Pierre Laniel, Raoul Brissac... deux Frères, un Maître, un Compagnon. Un homme mûr, un jeune. Ils se connaissaient assez peu, n'avaient pas noué de liens d'amitié. Le Compagnon appréciait chez le Maître son sens de la décision, son engagement aussi discret qu'efficace, son esprit de synthèse. Le Maître aimait chez le Compagnon son sens de la dignité, son exigence, sa puissance de travail. Deux Frères irremplaçables. François Branier ne dormirait jamais plus comme auparavant. A quelques pas de lui se balançait dans le vent nocturne le cadavre de Raoul Brissac, pendu à un gibet installé devant l'infirmerie.

CHAPITRE 19

Pendant trois jours, ils n'eurent droit qu'à un verre d'eau. Pas de nourriture. Trois malades moururent. Le Moine et le Vénérable avaient moins de travail, mais le stock de médicaments s'épuisait. Parmi les cas graves, une crise d'urémie, une hémiplégie, une tumeur.

Le vieil astrologue niçois respirait encore. Les Allemands l'avaient oublié dans son lit. Plusieurs fois par jour, il prononçait une suite de mots incompréhensibles puis retombait dans la torpeur. Pourquoi les SS l'avaient-ils épargné ? Une volonté de le conserver en vie à cause des dons qu'on lui attribuait ? Une simple négligence ?

Le Moine et le Vénérable avaient nettoyé l'infirmerie avec les moyens du bord ; cette sensation de propreté les réconforta. Ils s'étaient habitués à ce réduit, à cet horizon bouché.

— Ce jeûne m'a fait le plus grand bien, déclara le Moine en buvant le fond de son verre d'eau. J'avais de la graisse à perdre.

— Les bénédictins passent pour de bons vivants.

— Nous ne ripaillons pas comme les francs-maçons !

— Terme inexact, mon père. Nous célébrons des banquets rituels qui font partie intégrante de nos « tenues » de travail. Nourriture spirituelle et nourriture matérielle

178

sont indissociables l'une de l'autre. Vous communiez bien par le corps et le sang du Christ ?

— Ne recommencez pas à tout mélanger ! Vos prétendus banquets rituels ne sont que l'occasion de vider des bouteilles et de chanter des inepties.

Le Vénérable se gratta le menton.

— Dans la plupart des cas, c'est exact. Pas en ce qui concerne ma loge. Un maçon ivre n'est qu'un pauvre type. Chacun boit à sa mesure. A lui de la connaître. Ne jouez pas les bégueules, mon père. Vos frères n'ont dédaigné aucune des joies de ce bas monde.

— Vous blasphémez. Vous n'avez aucune idée de l'ascèse que nous nous imposons.

Le Moine s'était de nouveau empourpré. Le Vénérable avait le don de trouver des formules irritantes.

— Malgré les apparences, elle ne doit pas être très différente de la nôtre. Tout repose sur la Règle. Si nous sommes encore vivants, c'est à cause d'elle.

Le Moine considéra le Vénérable avec attention.

— Votre fameuse Règle, d'où vient-elle ? Ne serait-ce pas de chez nous ?

Les yeux du Moine brillaient d'une lueur presque malicieuse.

— Vous voudriez me faire dire que le plus grand secret de la Franc-Maçonnerie est d'origine chrétienne ? Vous savez bien que nous sommes les derniers païens irréductibles. Si vous connaissiez notre fête de la Saint-Jean d'Hiver, après l'installation du Vénérable et de ses officiers... au banquet sont servis les meilleurs mets, les meilleurs vins. Nous passons la nuit entière autour de la table.

Le Moine eut une moue dubitative.

— Uniquement entre maçons ?

— La Saint-Jean d'Hiver est la fête secrète de la loge.

— Autrement dit, Vénérable, votre gueuleton a un caractère sacré ? Ne choisissez-vous pas ce qu'il y a de plus parfait pour honorer votre Grand Architecte ? Ne passez-vous pas cette nuit-là en méditation communautaire plutôt qu'à chanter des chansons de corps de garde ?

Le Vénérable baissa la tête de sorte que le Moine ne vît pas ses yeux s'embuer. L'attaque du bénédictin l'avait surpris. Il attendait des critiques, des sarcasmes, pas une intuition de la vérité.

Le souvenir de la dernière Saint-Jean d'Hiver déferlait en lui comme une vague de soleil. Ils étaient tous rassemblés, les vingt Frères de « Connaissance », dans leur temple de la banlieue parisienne, inconnu des autorités administratives de la Franc-Maçonnerie. Une immense demeure, spécialement aménagée par l'un des Frères auquel le Compagnon Raoul Brissac avait donné les indications techniques nécessaires. Après sa nouvelle installation comme Vénérable, François Branier avait fait entrer dans le temple Compagnons et Apprentis pour leur annoncer la composition du collège des « officiers », les Frères appelés à remplir un office initiatique. Puis, dans l'ordre hiérarchique, la communauté s'était dirigée vers la table du banquet, dressée par les Apprentis. Foie gras, saumon, daube, roquefort, sorbets, château-latour et champagne... Le Maître des banquets avait vidé les caisses du Frère trésorier pour cette soirée que chacun ressentait comme exceptionnelle, avant le déclenchement de l'apocalypse. Cette fête exigeait que les plus somptueuses nourritures fussent présentes. François Branier avait célébré le rituel des « travaux de table », s'achevant par le triple hommage au Grand Architecte, à la loge et à l'initiation. Les Frères de « Connaissance » s'étaient ensuite exprimés, l'un après l'autre, sur la manière dont ils vivaient leur expérience. Ils avaient le sentiment aigu du drame qui se préparait à l'échelle du monde, mais nulle peur, nulle angoisse ne dénaturait les témoignages. Le Vénérable ne leur avait pas caché que, selon lui, la loge se réunissait, intacte, pour la dernière fois. Bientôt commencerait la lutte souterraine pour la survie. Les nouvelles en provenance d'Allemagne étaient claires : la Franc-Maçonnerie serait détruite partout et ses membres exécutés sans jugement. Combien d'entre eux seraient encore présents autour de cette même table quand la tourmente aurait pris fin ? Si elle prenait fin un jour...

— Vous ne souhaitez pas me répondre, Vénérable ?

François Branier sortit de ses souvenirs.

— Vous avez peut-être vu juste, mon père.

Le Moine prit un air navré.

— Par moments, vous m'êtes presque sympathique. Vous aviez de bonnes intentions, vous et vos Frères, mais vous avez eu le tort de vous détourner de Dieu pour lui substituer une image sans signification. Vous n'êtes pas si loin de la vérité. Pourquoi ne pas franchir le pas ?

— Cessez de prêcher, intervint sèchement le Vénérable. Nous avons fait un pari. Attendons le résultat. Dites-moi plutôt...

Deux SS pénétrèrent dans l'infirmerie. Le Vénérable se contracta, prêt à se lever. Mais les soldats l'ignorèrent et poussèrent le Moine dehors.

Les prisonniers du block rouge étaient déprimés. L'Apprenti Serval avait pris place au poste d'observation de Raoul Brissac dont il avait contemplé le cadavre, pendu pendant une journée entière avant d'être décroché et brûlé. André Spinot, le lunetier, s'était enfermé dans un mutisme presque complet, s'alimentant à peine. Brissac était à la fois son Frère et son ami. C'est lui qui avait éveillé son désir initiatique, le révélant à sa véritable nature. Il l'avait aidé, bousculé, orienté. Brissac n'admirait que le travail bien fait. André Spinot avait appris, à son contact, à se montrer exigeant avec lui-même. Le Vénérable et Guy Forgeaud disparus, il manquait de points d'appui.

— Aucun de vous n'a vu le Vénérable ? demanda Dieter Eckart pour la dixième fois.

— Il m'a semblé l'apercevoir, répondit Guy Forgeaud, qui récupérait difficilement. C'était dans un brouillard... je ne sais pas si j'ai rêvé ou non.

Personne ne releva l'intervention du Frère Forgeaud. Eckart, Spinot et Serval se souvenaient de l'état pitoyable dans lequel ils l'avaient traîné hors du block rouge. Forgeaud, à demi inconscient, était incapable de se tenir sur ses jambes. Ses yeux se fermaient malgré lui. Ses Frères savaient bien qu'il tentait de redonner un peu d'espoir à la loge contre toute réalité.

— Si on tentait quand même de célébrer une « tenue » ? demanda Serval. Sinon, on va crever comme des rats !

— Tant que je n'aurai pas la preuve formelle de la mort du Vénérable, nous ne ferons rien de tel, répondit Dieter Eckart.

André Spinot ouvrit la bouche. Aucun son n'en sortit. A quoi bon hurler qu'ils ne reverraient jamais François Branier ?

— Le Vénérable, dit Guy Forgeaud, j'irai le chercher moi-même.

Une fois les soins dispensés aux malades, le Vénérable s'était assis dans le réduit. Encore une journée ou deux, et il n'y aurait plus de médicaments. Voilà de nombreuses heures que le Moine était absent. Les SS ne l'avaient pas encore retenu aussi longtemps hors de l'infirmerie. Une longue leçon de radiesthésie pour le commandant ? Un rapport circonstancié sur les paroles et les actes du Vénérable de « Connaissance » ? Un interrogatoire serré sur son rôle réel pendant l'incendie ? François Branier ne croyait pas avoir commis d'erreur majeure, mais le bénédictin avait des perceptions hors du commun. Son rôle véritable demeurait flou. Le Moine restait énigmatique, insaisissable. Reconnaître la valeur de l'initiation maçonnique, c'était, pour lui, saper les fondations sur lesquelles son univers était construit. Le Vénérable ne pouvait lui apparaître que comme un mercenaire de l'esprit ou un terroriste tout court. Il y avait surtout ce pari où Dieu avait en quelque sorte engagé sa réputation. Le Moine n'accepterait pas de le perdre.

François Branier sursauta. Une silhouette s'introduisait dans l'infirmerie. Une ombre rapide, se déplaçant sans bruit. Ce n'était pas l'habitude des SS. Il se leva, se dirigea vers l'entrée du block.

Elle. Elle, en uniforme nazi, déposant une caisse fermée sur le sol. Accroupie, elle demeura figée. Elle le laissa s'approcher. Il ôta le couvercle. Des médicaments.

— Qui êtes-vous ? Pourquoi faites-vous ça ?

Elle se redressa, farouche. Il la prit par le poignet.

— Nous avons besoin de vous. Aidez-nous à sortir d'ici.

Elle se dégagea, recula avec vivacité et s'enfuit. François Branier mit aussitôt en sécurité le trésor qu'elle lui avait apporté. Il servirait à prolonger quelques vies.

L'air renfrogné du Moine ne présageait rien de bon. L'entretien avec le commandant de la forteresse avait dû être rude. Le Vénérable, assis, avait disposé devant lui une lame de scie et des ciseaux.

— Où avez-vous déniché ce bric-à-brac ?

— Dans la caisse de médicaments qui vous était destinée, mon père. Je me demande où vous avez dissimulé les stocks précédents. Je n'ai pas eu le temps de fouiller l'infirmerie à fond.

Le Moine fit rouler quelques grains de son chapelet entre ses doigts.

— Je crois que Dieu m'approuverait si je vous cassais la gueule.

— Votre côté militant... l'Eglise aime supprimer ceux qui la gênent.

— Dommage qu'elle ait oublié d'exterminer tous les francs-maçons.

Le Moine bouillait, serrait les poings. Le Vénérable était prêt à encaisser.

— Je ne vois pas pourquoi ma découverte vous met en rage. Vous avez monté un réseau avec cette fille et vous préparez une évasion.

— Vous fabulez. Ce matériel nous servira à soigner les malades.

Le Vénérable afficha sa déception.

— Vous voulez vous évader seul, mon père... manque de charité chrétienne.

— Ne parlez pas de ce que vous ignorez. Je ne cherche rien pour moi-même. Que vous en soyez convaincu ou non, c'est ainsi.

— Je n'ai pas le pouvoir de confesser et je n'en voudrais pas. Mais comme Vénérable, je recueille les secrets de mes Frères. Je tente de soulager les charges trop lourdes.

Le Moine en eut le souffle coupé. Un païen anticlérical lui proposait de soulager sa conscience en se confiant à lui !

— A qui vous adressez-vous, Vénérable ?

— A qui veut bien entendre, mon père. Vous êtes persuadé que le secret de ma loge est dangereux pour notre survie à tous. Vous avez raison. Puisque nous travaillons ensemble, vous êtes impliqué malgré vous. Le commandant vous utilise. Comment ? C'est votre secret à vous. Il doit être étouffant. Sinon, vous me raconteriez votre entrevue avec le nazi. Vous préférez sans doute éviter de mentir.

Le Moine égrena son chapelet avec lenteur. Une bonne technique pour conserver son sang-froid. Le Vénérable avait le calme d'un lutteur au repos, maître d'une puissance qu'il n'utilisait qu'au moment choisi par lui.

— Je n'ai aucune confidence à vous faire, Vénérable. Ce que le commandant attend de moi ne vous concerne pas.

— Vous réduisez notre collaboration au minimum, mon père. Admettez que votre réponse est ambiguë.

Le Moine commença à trier les médicaments apportés par la jeune femme.

— Vous avez tort d'être aussi soupçonneux, Vénérable. Je pourrais l'être aussi. Vos longues heures passées en compagnie du commandant, vos pseudo-révélations... Si vous étiez en train de négocier avec lui ? Si vous échangiez votre peau contre celle des autres détenus ?

François Branier blêmit.

— Deux de mes Frères sont morts. Vous imaginez peut-être que je vais vendre ceux qui restent pour me sauver moi-même ?

Le Moine tourna le dos au Vénérable. Sa voix se fit sourde, pâteuse.

— J'ai raconté des conneries. Mais vous m'avez donné un coup de pouce.

Le Vénérable se leva.

— D'accord, mon père. On efface tout. Cinquante cinquante pour les conneries. Faisons-nous confiance. Que le Grand Architecte de l'Univers nous permette de lutter ensemble.

— Que Dieu nous inspire un peu mieux, souhaita le Moine.

Les deux hommes se serrèrent la main. Longuement.

Le froid de l'aube mordait la chair du Vénérable. Les SS l'avaient arraché à l'infirmerie aux premières lueurs du soleil pour l'emmener sur la pente herbeuse où il avait effectué sa précédente récolte. Serpolet, chélidoine et aconit étaient humides de rosée. Les doigts gourds de François Branier travaillaient mal, déchirant les tiges. On ne lui laissa guère plus d'un quart d'heure avant de le ramener vers le camp.

C'est alors qu'il comprit la raison de cette cueillette précipitée. Le chalet où habitait la jeune femme blonde n'existait plus. Il ne restait qu'un petit tas de planches calcinées devant lesquelles un SS montait la garde, sans doute pour empêcher un fantôme de témoigner du crime qui s'était produit là. Ainsi, elle s'était fait prendre. L'alliée de l'extérieur avait disparu.

— Il y a un blessé, annonça Klaus, l'officier supérieur. Intransportable.

Accompagné de deux soldats, le SS avait annoncé la nouvelle sans la moindre émotion. Quand les Allemands étaient entrés dans l'infirmerie, le Moine et le Vénérable faisaient absorber de la quinine à deux malades. D'un même geste prompt, ils dissimulèrent les cachets dans les vêtements de leurs patients.

— Je viens, dit François Branier.

L'officier lui barra la route.

— Non. Pas vous. Le Moine.

Le Vénérable flaira le coup dur. Le SS ne choisissait pas au hasard. Le Moine prit des pansements. Lui aussi était inquiet. D'ordinaire, on amenait malades et blessés à l'infirmerie. Et pourquoi évincer le docteur Branier de manière aussi nette ?

La grande cour était inondée de soleil. Un vent glacial la balayait. L'hiver ne lâchait pas encore prise. Encadré par les SS, le Moine se dirigea vers la tour centrale. On le fit descendre à l'atelier de mécanique. Devant l'établi, Guy Forgeaud, accroupi, geignait, la main gauche plaquée contre sa poitrine couverte de sang.

— Qu'est-ce qui vous est arrivé ?

— Accident...

Le franc-maçon montra sa main gauche. Le petit doigt, broyé, n'était qu'une plaie. La blessure était horrible. Le Moine s'empara d'une caisse, fit asseoir Forgeaud dont il cala le dos contre l'établi.

— Il faudrait l'emmener à l'infirmerie, dit le Moine à l'officier supérieur.

— Inutile, répondit l'Allemand, très sec.

Cruauté gratuite ? Klaus n'en était pas dépourvu. Mais le Moine subodorait une autre raison.

— Alors, je le laisse crever sur place. Je n'ai rien pour le soigner correctement.

L'Allemand sembla contrarié.

— Indiquez-moi ce dont vous avez besoin. On ira vous le chercher. Débrouillez-vous pour que Forgeaud reprenne son travail le plus rapidement possible.

Le Moine exigea compresses, désinfectant, analgésique... Klaus retransmit en allemand à un SS qui s'empressa d'aller se procurer les produits à l'infirmerie de la caserne. L'officier supérieur demeura sur place, tout près de Forgeaud, pendant que le Moine s'occupait de la blessure. Comme le religieux le supposait, impossible d'échanger le moindre mot avec le franc-maçon.

Le Moine avait compris. Guy Forgeaud s'était volontairement mutilé pour être conduit à l'infirmerie. Là, il aurait vu le Vénérable. Ou bien il aurait appris qu'il était mort. La souffrance du franc-maçon devait être abominable. Il serrait les dents à se les briser.

— Poussez-vous, dit le Moine à l'officier supérieur. Vous me gênez.

Klaus hésita un instant, surpris par l'arrogance de son prisonnier. Mais le Moine avait commencé à faire le pansement et allait lui marcher sur les pieds s'il ne se déplaçait pas. Très raide, l'officier supérieur fit un pas de côté.

Guy Forgeaud en profita pour lever les yeux vers le Moine. Dans son regard se lisait une question : « Le

Vénérable est-il vivant ? » Mais Klaus avait déjà repris sa position. Il les observait tous les deux avec une acuité qui glaçait le sang. Le Moine n'avait pas la possibilité de commettre le moindre impair. Il risquait de condamner le blessé.

Il termina le pansement, ressentant le désespoir du franc-maçon qui s'imaginait avoir souffert pour rien.

— Voilà, mon vieux. Vous n'êtes pas encore mort.

CHAPITRE 20

— Le Vénérable est vivant, annonça Guy Forgeaud à ses Frères.

Les yeux du Maître maçon étaient brillants de fièvre. Son doigt broyé était un volcan. S'il n'y avait pas eu ses Frères autour de lui, s'il n'avait pas été obligé de tenir son rang de Maître, il se serait jeté contre un mur pour s'assommer.

— Pourquoi dis-tu ça ? demanda André Spinot, tentant de dissimuler son espoir derrière un ton acide.

— A cause du Moine. En me soignant, il a prononcé une phrase... « Vous n'êtes pas encore mort. »

La déception marqua le visage de Dieter Eckart, d'André Spinot et de Jean Serval. Ils s'attendaient à un fait concret.

— Vous ne me croyez pas ? s'étonna Guy Forgeaud.

— Si, si... répondit Eckart. Mais tu comprends, cette phrase... elle ne concerne que toi.

Guy Forgeaud se mordit les lèvres jusqu'au sang pour ne pas hurler.

— Non... il ne parlait pas de moi... il n'avait pas besoin de s'exprimer comme ça... j'ai lu dans son regard qu'il me transmettait un message concernant le Vénérable. Il est vivant. Je vous jure que j'irai le chercher. Ne... ne faites rien... en attendant.

Guy Forgeaud tomba sur le côté, évanoui.

Le block rouge était plongé dans les ténèbres. André Spinot veillait sur Guy Forgeaud qui dormait d'un sommeil agité. Le Compagnon n'avait même pas envie de s'assoupir. Il était certain de pouvoir rester éveillé pendant des siècles. A cause de la peur. Il ne voulait pas mourir sans voir la tête de son assassin, et il ne connaissait ni le jour ni l'heure. Il savait seulement que le moment approchait.

Jean Serval, l'Apprenti, s'approcha de Dieter Eckart, assis dans un angle du block.

— Je voudrais te parler, Dieter, dit Serval d'une voix tremblante.

— Vas-y.

Serval hésita. Heureusement, il faisait noir. Eckart n'apercevrait pas son visage.

— Je veux crever, Dieter. Je n'en peux plus.

— Nous en sommes tous là, mon Frère.

Jean Serval grelottait.

— Je veux crever tout de suite. Je n'ai plus la force de tenir.

— Ça n'a aucune importance, répondit Dieter Eckart.

L'Apprenti se sentit bafoué, presque insulté.

— Comment peux-tu dire ça...

— Ce que tu penses et ce que tu ressens, mon Frère Apprenti, n'a aucun intérêt. Ton devoir est d'obéir et de te taire. De faire taire en toi tes excès et tes disharmonies.

Jean Serval, furieux, serra les poings.

— Ce sont des discours. Tu ne te rends pas compte. Tu ne vois pas où nous en sommes, tu ne sais pas...

— Je vois et je sais, le coupa sèchement Dieter Eckart. Ta révolte est inutile. Elle te fait perdre une énergie précieuse. Elle nous affaiblit tous. Tu veux te tuer ? Fais-le. N'en parle pas. Et sois bien conscient que tu amputeras la loge d'un de ses éléments essentiels. Si tu quittes cette vie comme n'importe quel profane désespéré, tu nous auras trahis. Tu te seras trahi.

Jean Serval se prit la tête dans les mains et pleura.

Le Moine et le Vénérable dégustaient avec lenteur un bol de soupe aux choux. Depuis deux jours, ils étaient confinés dans l'infirmerie, comme si le commandant du camp ne s'intéressait plus à eux. Cinq Tchèques étaient décédés, à la suite des tortures subies, ici ou ailleurs.

Le Moine avait passé une bonne heure à nettoyer sa robe de bure. Le Vénérable l'avait imité en brossant son costume gris qui lui rappelait la liberté d'autrefois. Le Moine et le Vénérable étaient les seuls prisonniers de la forteresse à porter leurs vêtements d'origine, comme si le commandant avait voulu les isoler encore davantage, les singulariser.

Le Vénérable froissa l'étoffe entre le pouce et l'index. Ce n'était plus un costume présentable, tant il était marqué de sueur, de poussière, mais il tenait encore le coup.

Les deux hommes se dévisagèrent, comme s'ils ne s'étaient jamais vus.

— Pourquoi êtes-vous devenu Moine ? demanda François Branier.

Le bénédictin égrena le chapelet qui lui servait de ceinture.

— Par désir de Dieu et par connaissance des hommes.

— Ecœuré par eux ?

— Même pas. J'ai constaté leurs limites. J'ai connu des bougres plutôt extraordinaires, mais ils ne s'occupaient que d'eux-mêmes. Aucun ne savait donner.

— Devenir prêtre ne vous suffisait pas ?

Le Moine baissa la tête comme s'il était pris en faute.

— J'ai connu beaucoup de prêtres… je cherchais autre chose. Une existence plus communautaire, plus fraternelle. Je terminais ma médecine quand j'ai rencontré un

191

vieux moine, par hasard, dans une librairie du quartier Latin. Il s'est adressé à moi, me prenant pour un vendeur. Il m'a demandé un ouvrage sur les herbes médicinales. D'abord, j'ai cru qu'il était gâteux. Je me suis montré plus que désagréable. Il a insisté. Nous avons discuté. Nous avons dîné ensemble, parlé une nuit entière. A l'aube, il a repris le chemin du monastère. Je l'ai suivi. Lui, à plus de soixante-dix ans, était dans une forme physique impeccable. Il avait pourtant bu et mangé comme quatre. La fatigue n'avait aucune prise sur lui. Moi, j'étais crevé. Ce vieillard me fascinait. C'est à cause de lui que j'ai adopté la voie monastique, en commençant par Saint-Wandrille. Je n'ai revu mon interlocuteur qu'à la fin d'une longue retraite. J'ai appris qu'il remplissait la fonction d'abbé. Il m'a tout appris.

François Branier était bouleversé par le récit du Moine. Il avait le sentiment de redécouvrir sa propre existence.

— Il est toujours vivant ?

— Il est mort voilà cinq ans, répondit le frère Benoît. J'ai voyagé de monastère en monastère, incapable de supporter son absence. Puis je me suis traité de lâche. J'ai demandé l'autorisation de retourner à Saint-Wandrille. On me l'a accordée. Là, j'ai tenté de remplir le vide. De devenir un homme et un Moine, rien de plus. J'ai servi mes frères. J'ai rempli les offices qu'on me demandait de remplir. Quand le doyen m'a fait comprendre que je serais le prochain abbé, j'ai cru qu'il se moquait de moi. Pourtant, ce n'était guère son genre. La guerre a été déclarée. Les moines furent dispersés. J'ai reçu la charge de Morienval, une abbaye romane de l'Oise. Les SS m'y ont arrêté. Pas à cause de ma Foi, mais parce qu'ils m'accusaient d'utiliser des pouvoirs surnaturels ! Vous pensez... magnétisme et radiesthésie ! Comme si c'était surnaturel ! Les bénédictins pratiquent cette médecine-là depuis des siècles. Vous aussi, Vénérable, vous avez des pouvoirs...

François Branier sursauta. Envoûté par les paroles du Moine, il avait perdu le sens de sa propre réalité.

— Je vous souhaite d'être un jour abbé et je ne vous le souhaite pas.

— Pourquoi donc ?

— Diriger une communauté est la plus inhumaine des tâches. Nulle expérience, nulle compétence ne suffisent. Personne ne peut vraiment savoir si le Frère désigné pour guider ses Frères en a la capacité. Accepter cette fonction, c'est prendre le plus grand risque qu'un être humain puisse courir. Je vous en crois capable, mon père.

Suspicieux, le Moine regarda le Vénérable par au-dessous. Il se demanda s'il ne le brocardait pas. Le ton du franc-maçon avait la couleur de l'authentique. Son émotion était perceptible.

— J'ai parié sur Dieu, Vénérable. Je suis sans angoisse. Pas comme vous.

— De quoi ai-je peur, d'après vous ?

— Vous craignez de ne pas supporter le choc. De ne pas vous montrer à la hauteur de votre fonction. Parce que vous n'avez aucune confiance en votre Grand Architecte.

— Désolé de vous décevoir, mon père. Ne pas tenir le coup ? C'est bien possible. Ma résistance a des limites, comme la vôtre. Ne pas être un bon Vénérable ? Ce n'est pas à moi de juger. Mes Frères en décideront. Ils m'ont réélu jusqu'à la prochaine Saint-Jean d'Hiver. Je n'ai pas le choix. Je dois diriger la loge. Le Grand Architecte de l'Univers ? Il est au-delà de la croyance. Avoir ou non confiance en lui, quelle importance ? Il crée le monde à chaque instant. A nous de savoir le déchiffrer.

— Une création bien théorique.

— Non, mon père. Je ne parviens pas à vous la faire ressentir. Mais je vous jure qu'elle est la joie. La seule vraie joie.

Le bénédictin fut parcouru d'un frisson qui, curieusement, le réchauffa. Il s'en défendait, mais avait conscience de vivre un moment ineffaçable. Enfermé dans ce block, il respirait de l'air pur. La joie évoquée par le Vénérable, il la connaissait pour l'avoir vécue au monastère, parmi ses Frères. Comment un franc-maçon pouvait-il avoir accès à de tels mystères ?

Une longue quinte de toux l'obligea à se ployer légèrement.

— Vous êtes presque médecin, observa le Vénérable. Ne croyez-vous qu'il serait temps de soigner cette... bronchite ?

— A chacun sa croix. Je me débrouille avec la mienne.

Un rayon de soleil pénétra dans l'infirmerie, illuminant le visage des deux hommes. Klaus, l'officier supérieur SS, avait poussé la porte sans bruit, contrairement à ses habitudes. Il avança de quelques pas et se planta devant le Vénérable.

— Suivez-moi, ordonna-t-il à François Branier. J'ai une surprise pour vous.

CHAPITRE 21

Le Vénérable s'attendait à subir, une fois de plus, un interrogatoire. Un soleil éclatant, brillant au plus haut du ciel, réchauffait l'atmosphère. Suivant Klaus, il se dirigea vers la tour centrale. François Branier leva les yeux vers son sommet d'où dépassaient les canons de mitrailleuses lourdes. L'officier supérieur semblait nerveux. Il bouscula l'un des deux SS qui gardaient l'accès de la tour et grimpa au second étage, suivi de son prisonnier. Il s'arrêta devant une porte, qui n'était pas celle du bureau du commandant, et frappa. Helmut, l'aide de camp, lui ouvrit. Il fit entrer François Branier et referma, l'officier supérieur restant à l'extérieur.

Le Vénérable découvrit une pièce entièrement tendue de velours rouge et faiblement éclairée par des bougies. Au fond, un lit bas sur lequel était étendu le commandant.

— Un malaise, expliqua son aide de camp. Je l'ai fait transporter dans sa chambre. Examinez-le.

D'instinct, François Branier se pencha sur le malade. Il se retrouvait soudain plongé dans l'atmosphère tiède des visites à domicile où il fallait faire office de confident. Mais ce domicile-là était une prison et le patient un bourreau.

— Faites appel à un médecin nazi.

— Le commandant était l'unique médecin allemand de ce camp, monsieur Branier.

Un confrère... Le Vénérable se demanda si Helmut mentait, si le commandant n'avait pas organisé une mise en scène macabre.

— Vous n'avez pas le droit de refuser vos soins, insista l'aide de camp.

C'était précisément la question que se posait le docteur Branier. Le commandant avait les yeux dans le vague, le teint très blanc, les lèvres pincées. Certainement un malaise cardiaque.

— Vous avez des médicaments ?

L'aide de camp ouvrit la porte d'une armoire dont les étagères étaient couvertes de remèdes. Il y avait de quoi soigner les affections les plus graves. Laisser mourir le commandant, se débarrasser de l'aide de camp, emporter à l'infirmerie le contenu de cette armoire, soigner, guérir... un rêve insensé. Le Vénérable serait abattu par les SS avant même de sortir de la tour.

— Décidez-vous, monsieur Branier. Sinon, j'appelle le Moine.

Le bénédictin saurait se montrer charitable, bien sûr. Il prendrait la place du Vénérable si ce dernier refusait d'examiner le commandant. François Branier ouvrit le col d'uniforme du malade, scruta son fond d'œil.

— Sortez d'ici, exigea-t-il en se tournant vers Helmut. Pas de voyeur quand je travaille.

— Mais...

— C'est ça ou je me croise les bras.

L'aide de camp hésita. Requérir le Moine était l'ultime solution. Mais il n'avait aucune confiance dans les pouvoirs du religieux.

— Je vous accorde cinq minutes.

Le SS claqua la porte.

196

Le Moine priait. Mais la prière ne le rendait pas aussi serein que d'ordinaire. L'angoisse lui tenaillait le cœur. Peut-être parce que le vieil astrologue niçois venait de mourir, prédisant une fois de plus la venue imminente du feu destructeur. Peut-être aussi parce que son instinct lui annonçait une épreuve si terrible qu'il n'aurait pas la force de l'affronter.

De quinte de toux en quinte de toux, le Moine s'affaiblissait. Pas seulement physiquement. Le monastère, ses frères, les heures rituelles, la vie communautaire lui manquaient trop. Jusqu'à présent, il avait tenu bon dans la tempête. Ses remparts s'effritaient. Le Vénérable suffirait à soigner les malades. Pour le reste, à quoi bon lutter ? S'oublier en Dieu, se perdre en lui, se laisser absorber par son immensité... ne serait-ce pas le meilleur chemin ? Le plus rapide, en tout cas, pour rejoindre sa véritable patrie.

Le Moine chassa la tentation. Pire : la démission. Mauvaise santé... l'alibi. Il commençait à se chercher des excuses, à se mentir à lui-même. La vérité, c'était que Dieu le fuyait. Pourquoi ? Pourquoi ne répondait-il plus à ses prières ? A cause du dialogue entamé avec ce franc-maçon ? Ou simplement parce que son désir de combattre s'amoindrissait, le condamnant à devenir un déporté comme les autres ?

— On n'est pas si loin du but, affirma Guy Forgeaud. On a presque le minimum pour célébrer une « tenue ». Si on trouvait cette saloperie de craie, on serait bons...

La capacité de résistance du mécanicien stupéfiait ses Frères. Blessures et coups ne l'avaient pas abattu. Il récupérait très vite, comme s'il avait été un convalescent choyé.

— A condition que le Vénérable soit parmi nous, rappela Dieter Eckart.

Le Compagnon André Spinot assurait son tour de

veille, l'œil collé à la fente, dans le mur du block. Il ne pensait à rien d'autre. Il oubliait la forteresse, la peur, la mort rampante. Il voyait.

Serval, l'Apprenti, travaillait. Les deux Maîtres lui avaient demandé de méditer sur un passage essentiel de l'initiation au premier grade, la purification par le feu, en relation avec l'instant où le Vénérable créait le nouvel initié par le maillet et l'épée flamboyante.

— Je sais, Dieter, répondit Forgeaud. Il n'y a que trois solutions : ou bien le Vénérable se trouve à l'infirmerie, ou bien enfermé dans la tour centrale, ou bien... il est mort.

— Non...

Forgeaud posa la main sur l'épaule de son Frère Maître.

— Te bile pas, Dieter. Un Vénérable comme lui, on ne s'en débarrasse pas comme ça.

— J'aimerais tant te croire, Guy... j'aimerais tant.

— Si tu te déboulonnes, on y passe tous. Tu es notre pôle d'équilibre en l'absence de François. On sait tous que les événements n'ont pas de prise sur toi. Tu seras obligé de la diriger, cette « tenue ».

— Je n'en ai pas le droit, Guy. Même ici. Même dans ces circonstances.

Forgeaud baissa la tête. Dieter Eckart avait raison.

— Tu sais, Guy, François Branier n'est pas un Vénérable comme les autres. J'en ai connu des dizaines, des bons, des mauvais, des tièdes, des fanatiques. Aucun ne lui ressemblait. Notre Vénérable est un maître spirituel, mon vieux. Un type de la carrure des vieux abbés qui ont construit l'Occident. Lui seul sait où il nous emmène. Moi, je le suivrai jusqu'au bout. Comme nous tous. Parce qu'il nous oblige à nous dépasser. A devenir ce que nous n'étions pas encore.

Guy Forgeaud respirait les paroles de Dieter Eckart comme un air vivifiant. Il prenait conscience de la véritable stature du Vénérable, comme s'il entendait parler d'un être lointain, presque inaccessible et pourtant très proche.

— C'est lui, hurla André Spinot, c'est lui !

Le Compagnon quitta son poste d'observation et se jeta dans les bras de Guy Forgeaud.

— Dans la cour, hoqueta Spinot, la voix brisée par l'émotion, le Vénérable... avec l'officier supérieur... le Vénérable est vivant ! Vivant !

François Branier ouvrit la porte de la chambre du commandant. L'aide de camp attendait dans le couloir, faisant les cent pas. Il regarda sa montre. Cinq minutes s'étaient écoulées.

— Il est sauvé, annonça-t-il. Repos absolu pendant plusieurs jours et soins intensifs.

— Merci, docteur Branier. C'est très sérieux ?

— Très. Il faudrait des examens approfondis.

Helmut semblait embarrassé. Un bruit de bottes résonna dans le couloir. Klaus parla en allemand, s'adressant à l'aide de camp :

— J'apprends que le commandant est souffrant ?

François Branier regarda ailleurs. Il n'était pas censé comprendre cette langue.

— Oui, répondit l'aide de camp.

— Est-il en état de remplir ses fonctions ?

— Il lui faut du repos et...

— En ce cas, jugea l'officier supérieur SS, je suis dans l'obligation de prendre le commandement du camp jusqu'à nouvel ordre. Helmut, j'exige un bulletin de santé toutes les six heures. J'occuperai le bureau du commandant. Je vous y attends pour un rapport immédiat sur la situation.

L'aide de camp claqua les talons et fit le salut SS. Le Vénérable attendait, sans marquer d'impatience.

— Vous restez à proximité, docteur Branier, indiqua

l'officier supérieur, parlant à nouveau français. Je vous tiens pour seul responsable de sa santé.

— A l'impossible nul n'est tenu. Une opération est peut-être nécessaire.

— Je demande l'envoi de spécialistes. Pour le moment, la vie du commandant est entre vos mains.

A l'intérieur du block rouge, les Frères de la loge « Connaissance » étaient abasourdis. Ils contemplaient le Compagnon André Spinot dont les yeux riaient et pleuraient en même temps. Ils n'osaient pas le croire.

— Tu es sûr de toi, André ? interrogea Jean Serval. C'était bien le Vénérable ?

— Aucun doute ! Je ne peux pas me tromper, je te jure ! Vous vous rendez compte ? Le Vénérable, vivant !

Le lunetier n'avait pas coutume de se montrer aussi expansif. L'Apprenti Jean Serval vibrait sur la même longueur d'onde. Dieter Eckart ne laissait rien paraître de ses sentiments.

— C'est pas tout ça, dit Guy Forgeaud. Il va falloir qu'on le sorte de là. Les SS l'ont emmené dans la tour ?

— Oui, répondit Spinot, enfiévré. Je ne vais plus la quitter des yeux.

Forgeaud était pensif.

— Si seulement nous pouvions avoir une vraie arme...

— Ne rêvons pas, Guy. Nous ne pouvons qu'attendre et observer.

Serval se plaça devant Dieter Eckart.

— Et si je tentais de sortir, cette nuit ? Il suffirait d'agrandir la fente. Je pourrais m'introduire dans la tour et...

Le Maître interrompit l'Apprenti.

— Pas de suicide sur notre chemin, mon Frère. Soyons vigilants et appelons la présence du Vénérable en nous unissant davantage. Ça le fera revenir.

200

— Excellent, mon père, observa l'officier supérieur, inspectant l'infirmerie. Un modèle de propreté.

Les malades se tassaient sur leur couche, affolés. Ils craignaient d'être expulsés de cet enfer-là pour tomber dans un autre, plus sombre encore. Le Moine, assis, égrenait son chapelet. Klaus s'immobilisa devant lui.

— Pourquoi croire à de telles superstitions ?

— A chacun sa méthode pour ne pas oublier Dieu... Vous, c'est peut-être le port de l'uniforme.

Le visage du SS se contracta.

— Evitez ça, mon père. Vous allez payer votre arrogance, croyez-moi. Nul n'a le droit d'insulter le commandant de ce camp.

Le Moine ne daigna pas lever la tête.

— Votre prédécesseur est décédé ?

Un mince sourire anima les lèvres froides de l'Allemand.

— On s'est montré trop tolérant avec vous. Vous mentez depuis que vous êtes arrivé ici.

Impassible, le Moine entreprit de lustrer les manches de sa robe de bure en les frottant l'une sur l'autre. Un peu de salive facilita l'opération.

— Moi, mentir ? Cela m'est interdit par ma religion. Ce serait un péché et je n'aurais personne à qui me confesser.

Klaus attendait une faute de la part du Moine. Il venait de la commettre.

— Mais si, mon père... vous et le Vénérable Branier êtes des confesseurs l'un pour l'autre. Je suis persuadé que vous vous êtes tout dit et qu'il vous a confié son secret.

Dans l'infirmerie, le silence était presque absolu. Le Moine se leva, ajusta sa robe de bure, mit bien en place son chapelet-ceinture et fit face à l'officier supérieur.

— Seul un homme de Dieu peut confesser un homme de

Dieu. Sachez que le Vénérable et moi-même n'avons strictement rien à nous dire. Je le considère comme un païen voué aux flammes de l'enfer.

Klaus fit un pas de côté.

— Ici, votre Dieu n'a pas sa place. Sa présence est interdite. Vous avez forcément trouvé un terrain d'entente avec le Vénérable. Vous avez conclu un pacte. Je connais bien la réaction des détenus. Ils ne songent qu'à se révolter, à s'évader, à échafauder n'importe quel plan pour se donner l'illusion d'être encore des hommes libres. Les pires ennemis finissent par s'allier.

Le Moine sentait approcher le moment qu'il redoutait tant.

— Vous vous trompez. Le Vénérable et moi sommes beaucoup plus que des ennemis. Il n'y a aucune espèce de communication possible entre nous.

Klaus se dirigea vers la porte de l'infirmerie.

— Mon père, dit-il, tournant le dos au Moine, je vous accorde une dernière chance. Révélez-moi immédiatement le secret de la loge.

La voix du bénédictin ne chancela pas.

— Il n'y a pas de secret. Il ne m'a rien confié.

La porte claqua. Le Moine s'agenouilla et pria.

CHAPITRE 22

— Le commandant est mort.

François Branier, interloqué, contempla l'aide de camp.

— Quand ?

— Il y a une heure, docteur Branier. L'officier supérieur Klaus a pris le commandement de la forteresse. Suivez-moi.

Le Vénérable sortit de la petite pièce où on l'avait enfermé depuis deux bonnes journées sans le nourrir. Un réduit où il avait passé le plus clair de son temps à dormir.

Pourquoi l'avoir isolé ainsi ? Pourquoi l'avoir empêché de soigner le malade, de l'examiner à nouveau ?

Encadré par les SS, le Vénérable descendit l'escalier de la tour et déboucha dans la grande cour. Elle était peuplée de détenus en uniformes rayés, partagés en deux groupes, laissant entre eux un espace étroit. Au milieu du premier groupe, les Frères de la loge « Connaissance », Dieter Eckart, Guy Forgeaud, André Spinot, Jean Serval. Deux Maîtres, un Compagnon, un Apprenti. Les survivants.

Ils le virent. Ils ne manifestèrent aucun signe de joie. Les SS les surveillaient, fusils braqués sur eux. Une atmosphère de fin du monde. Personne ne remuait. Les prisonniers et leurs gardiens semblaient figés à jamais.

La porte de l'infirmerie s'ouvrit. Deux SS emmenèrent le Moine jusqu'à l'espace dégagé entre les deux groupes. Il faisait bon, presque moite.

La voix de l'officier supérieur s'éleva derrière le Vénérable.

— Allez rejoindre le Moine.

Le Vénérable avança, suivi par des centaines de regards. Il contourna par la gauche le groupe le plus proche de lui, progressant à pas lents. Ce rythme-là lui rappela les processions des Saint-Jean lorsque, précédé du Maître des Cérémonies, il marchait à la tête du Collège des Officiers vers la table du banquet rituel. Où allait-il, cette fois ? Dans quel labyrinthe s'était-il égaré ?

Le Vénérable parvint au centre de la cour, s'arrêta face au Moine. Il ne voyait plus les autres détenus, réduits à une masse brunâtre, lointaine. Le Moine était grave. François Branier eut peur. Pour la première fois, il se sentait réduit à l'état d'insecte.

— Ce camp doit être réformé, annonça Klaus. Vous serez tous affectés à des travaux d'entretien. Il faut davantage d'ordre. L'infirmerie sera nettoyée. C'est une véritable porcherie. Deux médecins ! Il y en a un de trop...

Le Moine et le Vénérable tournèrent lentement la tête vers l'officier supérieur qui s'était placé devant la tour centrale pour être entendu de tous.

Klaus donna un ordre en allemand. Des SS lui amenèrent le Moine et le Vénérable.

— Je vous ordonne de vous battre. Le vainqueur gardera la charge de l'infirmerie. Le vaincu sera exécuté. A moins qu'il ne soit tué pendant le combat.

Le Moine réagit avec vivacité.

— Je ne me battrai contre personne. Tuez-moi si vous voulez. Je suis prêt.

Le bénédictin avait la fierté d'un abbé se dressant, seul, sur le chemin des hordes barbares.

— D'accord, mon père. A condition que vous me révéliez immédiatement le secret de la loge « Connaissance » que vous a confié le Vénérable.

— Jamais un franc-maçon ne s'est confié à un bigot comme celui-là, protesta François Branier.

— Ce franc-maçon est la pire des vermines, rétorqua le Moine. Comment pouvez-vous imaginer que je l'aie écouté un seul instant ?

Le regard de Klaus alla du Moine au Vénérable.

— Puisque vous vous détestez tant, battez-vous !

— Je ne cognerai pas sur un religieux. Trop facile.

Frémissant de colère, le SS parvint à se contenir.

— Parfait, messieurs. Vous jurez sur votre Dieu, mon père, que vous ignorez le secret de « Connaissance » ?

Le bénédictin regarda le ciel.

— Je le jure.

— Vous mentez ! hurla le SS. Vous êtes complices !

Le Moine et le Vénérable demeurèrent impassibles. « Tenir bon, pensait le bénédictin. Tenir bon jusqu'à l'écœurer, jusqu'à lui faire abandonner son projet ». « Nier, nier encore, estimait le Vénérable, jusqu'à le nier lui-même à ses propres yeux. »

— Je sais que vous vous êtes confié au Moine, continua le SS, s'adressant au Vénérable. Vous vous soutenez l'un l'autre, avec vos pouvoirs. Maintenant, c'est fini. L'un de vous deux va disparaître. L'autre se retrouvera seul. Et il finira par parler.

Lequel des deux mourrait ? Le Moine songea à son pari. Dieu déciderait. Il avait l'habitude. Il choisirait la solution conforme à son Amour. Le bénédictin ne craignait rien. Si c'était le terme du voyage sur terre, ce serait aussi le retour vers la patrie céleste. Pourtant, le frère Benoît se croyait encore riche d'actes à venir, de mille et une prières pour faire vivre le divin. Mais il ne se révoltait pas. Il ne se soumettait pas non plus. Il acceptait la volonté du Maître de toute chose, parce que son regard portait plus loin que le sien.

Lui ou le Moine ? Le Vénérable se souvint du pari. Le Grand Architecte de l'Univers agirait selon la Règle. Il n'y avait ni hasard ni compromis. Seulement une gigantesque épure à l'échelle du cosmos où chaque élément de la construction se situait à sa juste place, même si l'homme n'y comprenait rien. Puisque le Vénérable devait croiser sa mort au moment juste, à lui de s'en montrer digne. Ne s'y préparait-il pas depuis le premier instant de son initiation, depuis cette longue méditation dans le « cabinet de réflexion » où, face à une tête de mort, il avait aboli son destin profane ?

L'officier supérieur arborait un léger sourire, pleinement satisfait de son plan.

— Chacun de vous sera responsable d'une moitié des détenus, expliqua-t-il. C'est pourquoi ils ont été répartis en deux « équipes ». J'ai mis les catholiques dans la vôtre, mon père, et les membres de la loge « Connaissance » dans la vôtre, Vénérable, avec les astrologues. Le vaincu condamnera son équipe à mort. N'était-ce pas ainsi, dans l'ancien monde ? Ça devrait vous donner envie de vous battre... pour sauver des vies !

Le Moine ferma les yeux. D'abord pour effacer l'horreur, ensuite pour se recentrer. Le Vénérable répéta en lui-même les paroles qu'il venait d'entendre, afin d'admettre l'atroce réalité.

— Puisqu'il faut y passer, mon père, dit François Branier, la gorge sèche, massacrons-nous.

Le Moine distingua une curieuse lueur dans le regard du Vénérable. Ce dernier tentait de lui transmettre une intention. Le Moine ne la déchiffra pas, mais décida de faire confiance.

— Vous êtes prêt, mon père ? insista Klaus, impatient. A moins que l'un de vous deux se décide à parler...

— Ce secret n'existe que dans votre imagination, affirma François Branier.

— Le Vénérable ne m'a rien confié, dit le Moine. Renoncez à cette folie. Elle ne vous mènera à rien.

Klaus recula de quelques pas. Il monta sur une petite estrade et s'adressa aux détenus, en allemand, en tchèque et en français, leur expliquant l'enjeu du combat. Il y eut quelques exclamations, vite étouffées par des coups de crosse. Des centaines de regards fiévreux se posèrent sur le Moine et sur le Vénérable.

Les doigts des Frères de « Connaissance » s'effleurèrent, esquissant une chaîne d'union. André Spinot regarda ses pieds. Jean Serval l'imita. Dieter Eckart saisit fermement le poignet de Guy Forgeaud, qu'il sentait prêt à s'élancer vers le champ clos où se déroulerait le monstrueux duel.

— Mettez-les en tenue ! ordonna Klaus.

Des SS s'emparèrent du Moine et du Vénérable. Les uns déchirèrent le haut de la robe de bure, les autres arrachèrent veste et chemise. Torse nu, bras ballants, les futurs adversaires sentirent le souffle d'un vent doux. Ils avaient la même musculature puissante, le même torse lourd, rassurant.

— Battez-vous ! hurla l'officier supérieur. Sinon, je fais exécuter dix détenus de chaque côté toutes les dix secondes.

Des murmures d'angoisse parcoururent les rangs des déportés. Un cri s'éleva.

— Vas-y, le curé ! Bouffe-le !

Tous s'attendaient à ce que le crieur fût exécuté. Les SS ne bougèrent pas. L'agitateur recommença, bientôt imité par ses voisins.

— Allez, le franc-mac ! riposta un membre de l'équipe de François Branier, inaugurant une série d'encouragements.

Pendant plus d'une minute se déclencha une bataille vocale. Un coup de feu claqua. Au premier rang, de cha-

207

cun des deux côtés, un homme s'écroula, la tête éclatée. Un silence terrorisé s'établit.

— Je ne veux aucun bruit pendant le combat, indiqua l'officier supérieur. Allez-y, messieurs. Jusqu'à ce que mort s'ensuive.

Le Vénérable fit un pas en direction du Moine, tendit brusquement le bras droit et le frappa du poing au milieu de la poitrine. Le Moine ne ressentit qu'une très légère douleur. Le Vénérable avait freiné son coup.

— Cogne, le Moine. Cogne comme moi !

François Branier avait pris une expression féroce, comme s'il voulait massacrer son ennemi. Il le toucha au foie. Entrant dans le jeu, le bénédictin se plia en deux, puis donna un coup de coude qui ébranla le Vénérable, lequel recula en vacillant.

— Tu vas regretter ton impiété, prévint le Moine, unissant ses poings en marteau et les brandissant au-dessus de la tête du Vénérable.

Ce dernier tenta d'esquiver. Trop tard. Il fut frappé à l'épaule gauche et poussa un cri de douleur. D'un coup de pied dans le genou du Moine, il se dégagea. Il s'apprêtait à porter une nouvelle attaque quand Klaus intervint.

— Ça suffit ! Vous simulez ! Battez-vous, vite !

Les SS s'apprêtèrent à tirer sur les premières rangées des deux « équipes ».

Le front du Moine se creusa de rides. Le Vénérable respirait mal.

— Cette fois, mon père, ce sera Dieu ou le Grand Architecte. Désolé, mais je dois essayer de sauver mes Frères.

Le Moine aurait bien tendu la joue, mais il n'acceptait pas de laisser abattre des dizaines de pauvres bougres qui étaient obligés de placer en lui leurs espoirs de survie. Ni le Christ ni Benoît ne s'étaient comportés comme des bêtes d'abattoir. L'un était venu apporter le feu au monde, l'autre avait lutté contre les Barbares. Lui, un Moine, devait vaincre un Vénérable pour sauver des chrétiens. Même s'il n'avait pas la moindre envie de frapper François Branier.

Le Vénérable sentit peser sur lui l'espérance de ses Frères. Il ne les voyait pas. Ils étaient noyés dans les rangs de son « équipe ». Mais il percevait leur présence, attentive. Il fallait se battre pour eux, blesser, tuer un homme pour lequel il éprouvait de l'admiration. N'importe quelle mort aurait été préférable à ce duel monstrueux.

Les deux adversaires avancèrent l'un vers l'autre. Chacun d'eux voulait frapper un coup, un seul, pour que le supplice finisse très vite. Ils savaient déjà qu'ils n'oublieraient jamais. Ils se regardèrent longuement, se parlant en silence, implorant leur pardon respectif. Ce n'étaient pas eux-mêmes qui deviendraient des bêtes sanguinaires. Ils s'effaçaient derrière une fonction, devenant orage, tempête, foudre qui tuent sans intention de tuer.

Tête en avant, le Moine percuta le Vénérable qui s'écroula, le souffle coupé. Il parvint à se relever, malgré une douleur intolérable dans la poitrine. Rageur, il frappa. L'arcade sourcilière gauche du Moine éclata. Le sang coulait. La tête en feu, le bénédictin chargea à nouveau. Les deux hommes s'empoignèrent.

Le Moine frappa, se dégageant du corps à corps. Le Vénérable vacillait sur place. Un voile noir dansa devant ses yeux, l'empêchant de distinguer le Moine. Il sut que c'était fini. Il avait perdu. Ses Frères allaient mourir, eux aussi. Il ne se donnerait pas en spectacle en gigotant comme un pantin. Il n'avait plus qu'à attendre, debout, le coup fatal.

Le Moine toussait, plié en deux. Il se redressa, à bout de forces. Il ne discernait que la forme vague de son adversaire, une forme qu'il fallait détruire. De ses poings réunis, chargés de la puissance d'un bûcheron qui abat sa cognée, il se prépara à tuer le Vénérable.

Un cri aigu le cloua sur place. La voix d'André Spinot.

— Je suis juif ! hurla le franc-maçon. Je suis juif et j'emmerde les boches ! Les SS crèveront tous, ils perdront la guerre !

Pendant quelques secondes, les Allemands furent incapables de réagir. André Spinot fendit les rangs de déportés, passa en courant devant le Moine et le Vénérable, se rua vers l'officier supérieur.

Se sentant menacé, Klaus sortit enfin de sa léthargie. Il arrêta Spinot d'un coup de botte dans le ventre.

Plus de cinquante détenus, fous de peur, s'élancèrent vers les murs de la forteresse, renversant le Vénérable, piétinant le Moine. D'autres, paniqués, s'aplatirent sur le sol. Quelques-uns s'attaquèrent aux SS.

L'officier supérieur donna l'ordre de tirer.

CHAPITRE 23

La mort avait un goût de nuit. François Branier la savourait à pleines dents, se laissant porter par les bruits de voix qui brisaient son silence. Des visages se dessinaient dans la brume. Il y avait Raoul Brissac, Dieter Eckart, Jean Serval. Le Vénérable tendit la main vers ses Frères, pour toucher le vide. Ce fut le miracle. Brissac sourit, Eckart prit sa main. Serval pleura.

— La loge... vous, la loge ?

Le voile se déchira. Ses Frères étaient encore incapables de parler. Ils laissèrent au Vénérable le temps de renouer avec la vie.

— Où sommes-nous ?

— Dans notre block, répondit Dieter Eckart. Tu t'es évanoui au moment où le Moine allait te massacrer.

François Branier se redressa, inquiet.

— André ? Où est André ?

— Mort. Il s'est dénoncé comme juif et a provoqué une émeute. Ç'a été un massacre. Ils ont tiré. Ils ont brûlé le corps d'André, au centre de la cour.

La voix de Dieter Eckart n'avait pas tremblé. Il disait la vérité, telle qu'il l'avait vue. Il n'avait pas coutume de la farder, fût-elle insupportable.

Le Frère André... le Vénérable et les Maîtres de la loge avaient souffert mille peines pour l'arracher à son narcis-

211

sisme et lui ouvrir la route qui conduisait vers la lumière. André avait des difficultés à s'épanouir, à calmer ses craintes, à trouver l'équilibre qui lui aurait permis de progresser plus vite. Trop sensible, il avait dû se faire violence pour passer de l'affectivité à la fraternité. Il avait fait preuve, tout au long de sa quête, d'un formidable courage, créant en lui des qualités qu'il ne possédait pas. En se dénonçant comme juif, il avait offert son sang au corps sacré de la loge, comme il s'y était engagé par serment lors de son initiation au grade d'Apprenti.

André Spinot avait sauvé la communauté, pariant sur son éternité, sur son incessante métamorphose régie par le Grand Architecte.

Lui parti à l'Orient éternel, il ne restait plus que quatre Frères.

Eckart n'hésita pas à déchirer l'âme de François Branier.

— Ni toi ni moi n'avons le temps de pleurer, Vénérable Maître. Nous avons à faire.

Dieter Eckart s'était exprimé avec son autorité habituelle. Par son attitude, il emmenait ses Frères loin de la forteresse nazie. Il leur rappelait les caves voûtées où ils avaient célébré tant de « tenues », les pierres ancestrales, les édifices sans failles où l'homme se sentait un peu moins mortel.

— Le Moine ? interrogea François Branier.

Sans répondre, Eckart et Forgeaud aidèrent le Vénérable à se lever. Ce dernier ressentait des douleurs diffuses dans tout le corps, mais il parvint à se tenir debout. Sa poitrine, surtout, le faisait souffrir. Mais c'était supportable.

— Vous pouvez me lâcher... ça devrait aller.

Le Vénérable vit le Moine. Allongé sur le parquet du block, inanimé. Les Frères de « Connaissance » avaient rajusté sa soutane.

— Il est...

— Non, répondit Dieter Eckart. Il respire. Il a été piétiné.

— Pourquoi l'a-t-on amené ici ?

— Aucune idée.

Le Vénérable croyait comprendre. Le Moine avait été laissé pour mort. Désormais, l'officier supérieur le prenait pour un collaborateur des francs-maçons. Il partageait leur destin, à moins de les trahir. Le bénédictin, un traître ? François Branier se laissait à nouveau envahir par le doute. Si le Moine avait joué un rôle de mouton, c'était auprès du commandant. Ce dernier avait disparu, peut-être assassiné par Klaus. L'officier supérieur n'avait pas la finesse du commandant. Impatient, violent, il ne prenait pas le soin d'opposer plus longtemps le Moine au Vénérable et n'espérait plus rien d'un conflit qui les aurait déchirés. Il préférait les ranger dans le même camp.

Cette attitude ne présageait rien de bon. Le commandant était un monstre froid, calculateur. Klaus était une brute imbue de son nouveau pouvoir.

— C'est vraiment le Moine qui m'a démoli ? demanda le Vénérable.

— Un sacré costaud ! apprécia Guy Forgeaud. Tu es tombé le premier, mais je ne suis pas sûr qu'il aurait eu la force de t'achever. Il était cuit, lui aussi.

— Si André n'était pas intervenu, il m'aurait tué.

Le Vénérable se pencha sur le Moine. Le bénédictin avait gardé un visage serein.

— L'infirmerie ?

— Détruite, indiqua Dieter Eckart. Les derniers émeutiers s'y sont réfugiés. Les SS l'ont incendiée. Ils ont abattu ceux qui tentaient d'en sortir. A mon avis, plus de la moitié des déportés a été exterminée.

— Combien de temps suis-je resté dans le brouillard ?

— Quelques heures.

— Les SS vous ont laissés tranquilles ?

— On n'a vu personne, dit Guy Forgeaud. La cour est vide. Pas un bruit.

Les quatre Frères s'assirent.

— On a planqué un peu de matériel, dit Forgeaud. Ce serait dommage de le laisser rouiller.

— Tu as un plan ?

— Non, Vénérable Maître. On t'attendait pour en bâtir un.

— Vénérable Maître, intervint Eckart, je crois qu'il serait temps...

— Je sais, Dieter. Nous allons la célébrer, cette « tenue ». Après, nous pourrons mourir tranquilles.

Jean Serval s'angoissa.

— Mourir... mais vous croyez...

— Faisons vite, exigea le Vénérable. Cette nuit même. Klaus a sans doute supprimé le commandant. Il n'a peut-être pas beaucoup de temps pour s'imposer aux yeux de ses supérieurs. Son meilleur atout serait de nous arracher notre secret en utilisant des méthodes radicales.

— La torture, murmura Serval.

— Ne perdons plus une minute, dit Forgeaud. Nous avons des bougies, une boîte d'allumettes, de quoi figurer règle, équerre et compas.

— Il manque le tableau et la craie, observa Dieter Eckart. Sans tracé du tableau, pas de « tenue » possible.

— Je sors cette nuit pour chercher tout ça, proposa Forgeaud.

— Pas question, trancha le Vénérable. Trouvons une autre solution.

Le Moine montait vers les hauts de Saint-Wandrille. Il cheminait dans les sous-bois, éclairés par la fraîche lumière du printemps. Il se sentait aérien, presque immatériel. Seuls les arbres avaient une forme distincte ; au-delà de leurs troncs centenaires se déployaient des nappes de brume. Irrité, le Moine sortit du sentier, décidé à percer le brouillard. Aussitôt, le sol se déroba sous ses pas. Il tenta en vain de s'agripper à une branche et tomba en arrière. Une chute interminable, pendant laquelle il fut ébloui par un soleil qui, peu à peu, se transforma en visage.

Celui du Vénérable.

— Heureux de vous revoir, mon père.

Le Moine avait ouvert les yeux. Il ressentit aussitôt une douleur fulgurante dans l'aine. Il poussa un cri, se cramponna au poignet droit du Vénérable qui l'aida à redresser le buste.

— Je suis aussi amoché que vous, mon père. Nous avons eu la main lourde, l'un et l'autre.

— Je n'ai donc pas réussi à vous supprimer...

— La carcasse est robuste.

François Branier raconta au bénédictin ce qui s'était passé. Eckart et Forgeaud se tinrent à l'écart, dans un angle du block ; ils considéraient le religieux comme un intrus. Jean Serval était à son poste d'observation. Des SS passaient dans la cour. La caserne semblait en proie à une grande agitation.

— J'ai besoin de votre aide, mon père.

Le Moine soupira.

— Vos souffrances vous font enfin revenir à Dieu ?

— Nous avons pris la décision de célébrer une « tenue » rituelle, ici même. En sacralisant ce lieu, nous ferons renaître la lumière, notre vraie nourriture. Ensuite, plus rien n'aura d'importance.

— Tant mieux pour vous. Mais je ne vois pas...

— J'aurais besoin de votre chapelet.

Les traits creusés par les élancements qui taraudaient sa chair, le Moine puisa dans l'indignation une force nouvelle.

— Personne n'y touchera.

— Nous n'avons pas l'intention de vous le prendre de

force. Je vous le demande à titre amical. Il vous sera restitué, bien entendu.

Les yeux du Moine lancèrent des éclairs. Peut-être regrettait-il de ne pas avoir porté le coup décisif qui aurait expédié le Vénérable dans l'autre monde. Forgeaud se demandait pourquoi le Maître de la loge se montrait si patient.

— Vous comptez utiliser mon chapelet pour des pratiques sataniques ?

Le Vénérable sourit.

— Ne poussez pas cette rengaine usée, mon père. Nous célébrons des rites, comme vous. Satan n'est pas admis parmi nous. Il n'est ni libre ni de bonnes mœurs.

L'argument n'ébranla pas le Moine.

— Ce chapelet a été consacré par le dernier abbé de Saint-Wandrille. Il est ce que je possède de plus précieux.

Le Vénérable hocha la tête.

— Je vous comprends. Moi, c'était le tablier transmis de Maître de loge en Maître de loge. Mais posséder quelque chose, ici... est-ce conforme à la volonté de Dieu ?

— Mêlez-vous de ce qui vous regarde ! explosa le Moine.

François Branier baissa la voix, ne parlant que pour le Moine.

— Je voulais vous le confier, mon père... je me suis mal battu parce que je n'avais pas envie de me battre. J'ai essayé de vous haïr, de voir à votre place le dogme, l'inquisition, le fanatisme religieux. Peine perdue. Il y avait vous, personne d'autre. Quand votre visage s'est estompé, c'était trop tard. Je me sentais vidé. Incapable de me défendre. Votre Dieu avait gagné.

— Pas tout à fait, protesta le Moine. Nous sommes là, l'un et l'autre. Notre pari tient toujours. J'ai encore l'intention de gagner.

Le Vénérable regarda le Moine, cherchant à lui toucher l'âme.

216

— Aviez-vous encore la force de frapper ? De tuer ?

— Qu'est-ce que ça peut vous faire ?

Ils se défièrent. Silencieux.

— Si votre chapelet est une relique sacrée, mon père, il ne risque rien.

Le visage du Moine s'assombrit.

— Ce chapelet ne quittera pas ma ceinture. Il faudra l'arracher à mon cadavre.

— Je n'insiste pas. Tant pis pour nous.

Les paupières du Moine s'affaissèrent. Il était rompu, quêtant un peu de sommeil.

— Je vous rapporterai le matériel nécessaire, affirma Forgeaud.

— Non ! protesta Jean Serval. Je suis Apprenti. A moi de prendre les risques.

Guy Forgeaud avait le front brûlant. Sa blessure le taraudait. Il prit son Frère par les épaules. Il le dominait d'une bonne tête.

— Ecoute-moi bien, mon Frère Apprenti. Ici ou ailleurs, nous vivons selon la Règle. Tu es Apprenti, je suis Second Surveillant. Tu es placé sous mon autorité directe. Tu resteras ici, et moi je sortirai. Il n'y a rien à ajouter.

Jean Serval tourna les yeux vers le Vénérable. Mais ce dernier n'avait rien à redire.

La nuit venait de tomber, beaucoup plus douce que d'ordinaire. Le printemps virait au beau. Jean Serval avait l'œil collé à la fente, observant la cour sans répit. Les SS relevaient régulièrement la garde devant la caserne. Aucun autre mouvement. Sur le parquet du block, une lime que Forgeaud avait sortie de la cache. Le Moine dormait. Dieter Eckart s'était assoupi, après deux jours de veille ininterrompue.

— Ça te suffira, comme arme ?

— Il faudra bien, Vénérable Maître, répondit Guy Forgeaud.

— L'atelier ?

— Je me débrouillerai pour ouvrir. Je mettrai bien la main sur un bout de ficelle. On s'en contentera. Pour la craie, je tenterai le coup.

— Tu ne préfères pas rester ?

Guy Forgeaud avait peur. Pas une chance sur mille de réussir.

— Si, je préfère. Ce serait raisonnable. Mais nous ne sommes pas des gens raisonnables. Nous voulons vivre notre initiation au cœur de l'enfer. Nous voulons incarner le tableau de la loge. Une figuration mentale ne nous suffit pas. Nous sommes des bâtisseurs. Pour ça, nous irons jusqu'à en crever. Moi le premier. Sauf ton respect, Vénérable Maître. Et c'est bien ainsi.

Le Vénérable et le Maître Guy Forgeaud se donnèrent l'accolade fraternelle.

— La route est libre, dit Serval.

Plus un seul SS dans la cour. Projecteurs éteints.

Guy Forgeaud marcha vers la porte du block. Il ramperait jusqu'à l'atelier. Au moment où il s'accroupissait pour se mettre à plat ventre, une main se posa sur son épaule gauche.

CHAPITRE 24

La poigne puissante du Moine immobilisa Guy Forgeaud.

— Mon chapelet vous est réellement indispensable ? demanda le bénédictin au Vénérable.

Ce dernier hocha affirmativement la tête.

— Qu'est-ce que vous allez en faire ?

— Le disposer sur le plancher de ce block et l'utiliser comme symbole.

Avec beaucoup de soin, comme s'il manipulait un matériau fragile, le Moine ôta le chapelet qui lui servait de ceinture. Au moment de le tendre au Vénérable, il hésita. S'en séparer équivalait à se quitter lui-même, presque à renier sa foi.

Il se reprocha cette réaction fétichiste. Ce n'était qu'un objet. Il n'avait de valeur que par l'usage qu'il en faisait. Il fut reconnaissant au Vénérable de lui avoir arraché cette partie profane de son être.

Quand il vit son chapelet entre les mains du Vénérable, le Moine éprouva l'étrange sensation de basculer dans un autre monde. Il transmettait une prière à un athée. Sous combien de doigts avaient roulé les grains de bois d'ébène, élevant les pensées vers Dieu par la simple répétition d'un geste ? Le chapelet avait été le témoin attentif d'innombrables heures de solitude dans des cellules austères illuminées par la présence divine. Parfois, le Moine s'était demandé à quel Frère il serait remis après sa mort. Et le voilà en possession d'un Vénérable.

Pourquoi acceptait-il de l'aider ? Si Guy Forgeaud avait tenté de sortir, il se serait fait tuer. La loge n'aurait pas réussi à célébrer une « tenue » selon la Règle. L'Eglise n'y aurait rien perdu. Mais à quelle Eglise appartenait un moine bénédictin ? Ne se reliait-il pas, de manière intemporelle, à ces premières communautés où la main et l'esprit n'étaient pas encore séparés ? Ne cherchait-il pas à bâtir l'homme comme un Maître d'Œuvre, avec des matériaux qui s'appelaient foi, prière et travail ?

Le Vénérable semblait embarrassé.

— Il vous faut encore autre chose ? demanda le Moine, courroucé. Ma robe de bure, peut-être ?

— C'est de vous-même dont j'aurai besoin, mon père. Pour participer à notre « tenue ».

Le Moine crut avoir mal entendu.

— Vous perdez la raison...

— Laissez-moi vous expliquer. Tous les Frères ici présents désirent vivre cette « tenue ». Dieter Eckart et Guy Forgeaud sont Maîtres. Ils rempliront symboliquement, à eux seuls, les offices de la loge. Jean Serval est Apprenti. Dès que nous sortirons d'ici, il préparera un travail pour passer au grade de Compagnon.

Le Moine et l'Apprenti échangèrent un regard furtif. Serval, fou de joie, venait d'apprendre qu'il avait la possibilité d'accéder à de nouveaux mystères. Rien ne pouvait le réjouir davantage. Il se sentit animé d'une énergie nouvelle. Oui, ils allaient s'en sortir. Le Moine songeait aux dix offices monastiques régissant la vie quotidienne de sa communauté, dans la paix de l'atelier divin. Les francs-maçons les avaient-ils copiés, ou bien la même organisation hiérarchique avait-elle été transmise et conservée en raison de ses vertus irremplaçables ?

— Vos secrets ne me concernent pas, Vénérable. Je n'ai besoin d'aucune explication.

— Nos « tenues » doivent se dérouler à couvert, poursuivit François Branier, passant outre. Dans un lieu comme celui-ci, il nous faut un Couvreur extérieur. Un officier chargé de veiller à la sécurité de nos travaux. Il se tient au-dehors de la loge et prévient ses Frères dès qu'il décèle un danger. Je vous demande de remplir cette fonction, mon père. Vous n'assisterez pas à nos mystères. Mais vous leur permettrez de se dérouler en toute sérénité.

Suffoqué, le Moine en oublia ses souffrances. Il savait, depuis la première seconde, que le Vénérable était un personnage redoutable, mais de là à lui proposer de devenir franc-maçon...

— J'estime avoir fait le maximum, répondit le bénédictin. Vous exigez trop.

— Je ne crois pas, insista le Vénérable. Cette « tenue » est vitale pour nous. Le Grand Architecte vous en saura gré.

Le Moine maugréa. Le Vénérable le mettait à rude épreuve. Il profitait de son épuisement, ne lui laissant pas le temps de reprendre son souffle.

— Je vous affirme, mon père, que notre « tenue » ne contient rien qui puisse offenser votre Dieu.

Les Frères attendaient la réponse du Moine. Si l'un d'eux était obligé de devenir Couvreur extérieur, il n'assisterait pas aux travaux. Ce serait le plus insupportable des sacrifices. Une chaîne d'union ne serait complète que si le Moine acceptait la proposition du Vénérable.

Le bénédictin s'assit. La tête lui tournait. Il avait faim, mais sa fatigue s'estompait. Les coups n'avaient pas entamé sa puissance vitale. Et si, de l'autre côté de la porte de ce block sinistre, il y avait le parc de l'abbaye de Saint-Wandrille, avec ses arbres et ses chants d'oiseaux ? S'il suffisait de franchir cette frontière pour entrer à nouveau dans le paradis terrestre ?

Saint-Wandrille était vide. Il n'y avait plus de moines. Là aussi, la guerre avait frappé. Les hauts murs n'abritaient plus que l'absence. Le dernier des paradis, c'était ce block rempli de francs-maçons qui croyaient encore au sacré. Même s'ils se trompaient, même s'ils célébraient des rites païens, ils annihilaient l'horreur. Ils maintenaient l'espérance.

— Que devrais-je faire ? demanda le Moine, regardant dans le vide.

Les Frères de « Connaissance» entourèrent le Vénérable.

— Rien d'autre que de regarder au-dehors par la fente que nous avons aménagée et de nous prévenir si des SS se dirigent vers notre block. Votre aide est inestimable, mon père.

— Dépêchez-vous, demanda le Moine, allant s'installer à son poste.

Le Couvreur extérieur officiait. Le Vénérable et les trois autres survivants de la loge retrouvèrent les gestes nécessaires pour construire le temple. Le Vénérable siégea à l'Orient, Dieter Eckart à sa droite, Guy Forgeaud à sa gauche. Jean Serval se tint sur la colonne du nord.

Guy Forgeaud ouvrit la cache. Il en sortit un marteau qu'il remit au Vénérable. Ce dernier frappa un coup sur la paroi du fond.

— Prenez place, mes Frères.

Par cette simple phrase, le monde était remis à l'endroit. Chaque Frère acceptait sa juste place dans un univers sans tache.

— Mes Frères, continua le Vénérable, notre Règle nous demande de ne pas apprendre nos rituels par cœur. Nous avons à les recréer en permanence. Pour sacraliser ce lieu et ouvrir la loge, je vous demande de vous joindre à moi pour invoquer le Grand Architecte de l'Univers. Mettons-nous en ordre, mes Frères.

Le Vénérable plaça le maillet improvisé sur son cœur.

Eckart et Forgeaud l'imitèrent. L'Apprenti posa la main droite à hauteur de la gorge.

Le Moine ne voyait que la nuit. La cour était presque plongée dans l'obscurité. A l'intérieur du block, les Frères se distinguaient à peine. Le bénédictin était furieux. Furieux contre le Vénérable, parce que ce dernier avait omis de lui préciser que, s'il n'allait rien voir, il entendrait tout. Furieux contre lui-même pour ne pas l'avoir compris à temps.

— Frère Premier Surveillant, demanda le Vénérable, que faut-il pour qu'une loge soit juste ?

— Qu'elle soit éclairée, répondit Dieter Eckart.

— Qu'il en soit ainsi.

Guy Forgeaud disposa trois bougies sur le sol.

— Que la Sagesse crée, dit le Vénérable, qu'elle s'exprime et qu'elle s'accomplisse.

Guy Forgeaud gratta une allumette puis alluma les mèches des bougies. Trois étoiles brillaient désormais au firmament du block rouge devenu temple.

— Que les trois grandes lumières soient révélées, ordonna le Vénérable.

Dieter Eckart utilisa les outils rapportés par Guy Forgeaud. Sur la règle métallique, il posa compas et équerre, représentés par les clés à molette.

— Que le Frère Apprenti trace le tableau de la loge.

Jean Serval s'avança pour se placer au milieu du triangle formé par le Vénérable et les deux Maîtres. Symboliquement, seul le Vénérable pouvait accomplir l'acte de création consistant à révéler les symboles. Par délégation, cette tâche pouvait incomber à un Apprenti. Ainsi, l'énergie circulait du Maître de la loge jusqu'au plus humble de ses membres.

Jean Serval blêmit. Avec quoi effectuerait-il ce tracé ? Il crut que, dans leur farouche désir de vivre leur rituel, ses Frères avaient négligé ce détail. Le Vénérable perçut le trouble de son Frère. Il tendit le chapelet du Moine à Dieter Eckart qui le transmit à l'Apprenti. Serval disposa l'objet sur le plancher, formant un rectangle. Ainsi était figurée la corde d'arpenteur avec ses nœuds de force. Elle délimitait l'espace sacré à l'intérieur duquel se déployaient les figures magiques.

Le Vénérable inclina la tête, signifiant à l'Apprenti que son travail était juste et qu'il pouvait regagner sa place. Le chapelet du Moine servirait, à lui seul, de tableau de loge.

Jean Serval eut un mouvement irrépressible. Il fallait faire mieux pour célébrer cette « tenue » exceptionnelle. D'un geste vif, il s'empara de la lime que Guy Forgeaud avait abandonnée. Il se râpa jusqu'au sang la peau de l'avant-bras gauche. Pourtant, il avait peur de la douleur physique. Il faillit tourner de l'œil, mais parvint à tremper l'index de la main droite dans son propre sang, s'agenouilla et traça les symboles sur les lattes de bois usées.

Il commença par le triangle, la première forme géométrique possible. Au nord, il dessina un soleil avec un point en son centre, au midi, une lune montante. Ensuite, les trois fenêtres, le pavé mosaïque aux carreaux noirs et blancs, le maillet et le ciseau, la perpendiculaire, le niveau, les deux colonnes, la pierre brute et la pierre cubique, la porte du temple.

L'Apprenti se releva. Le bois avait déjà bu son sang.

— A la gloire du Grand Architecte de l'Univers, dit le Vénérable, je déclare ouverts les travaux de la loge. Mes Frères, formons la chaîne d'union.

Les trois Maîtres et l'Apprenti unirent leurs mains, reconstituant l'Homme dans son unité. Alors qu'ils savouraient la plénitude de ce moment, la porte du block s'ouvrit brusquement.

Helmut, l'aide de camp du commandant défunt, se tenait sur le seuil.

CHAPITRE 25

Le Moine les avait trahis. En voyant le SS venir vers le block, il ne les avait pas alertés. Peut-être avait-il lancé un signal dès le début de la « tenue » pour que les francs-maçons soient surpris en pleine activité.

— Quittons la chaîne, mes Frères, ordonna le Vénérable.

Les mains se quittèrent, pas les esprits. Le tableau de la loge était encore visible. Le Moine se retourna, quittant son poste d'observation. Son visage était crayeux. Dans ses yeux, le Vénérable lut souffrance et regret.

Le SS entra, refermant la porte du block. François Branier se sentait humilié. Pour lui, le Moine était presque devenu un Frère. Il lui avait donné sa confiance et il avait eu tort. La loge allait payer le prix fort pour sa méprise.

Accablé, il ne comprit pas le geste du Moine. Se relevant avec vivacité, le bénédictin, malgré ses blessures, se rua sur le SS et lui enserra le cou à le briser.

— Non ! hurla l'aide de camp, je suis des vôtres ! Je suis votre Frère !

Le Moine cessa de serrer, hésitant. Eckart, Forgeaud et Serval, sidérés, attendaient la décision du Vénérable. Ils étaient toujours en « tenue ». Personne ne pouvait prendre la parole de son propre chef.

— Si tu es un Frère, dit François Branier en allemand, donne-moi le mot de passe d'Apprenti.

L'aide de camp fixa le Vénérable. Ses lèvres remuèrent à peine. Il ne prononça pas le moindre mot.

Furieux d'avoir mal rempli sa mission, le Moine ne voulait laisser à personne le soin d'expédier le SS en enfer. Puisqu'il ne connaissait pas le mot de passe, il était condamné.

— Lâchez-le, mon père, exigea le Vénérable.

Étonné, le Moine s'exécuta. Le SS avança d'un pas en équerre, s'arrêta, les yeux sur le tableau de loge, tracé avec le sang de l'Apprenti. Il fit deux nouveaux pas, traça de sa main droite le signe d'ordre.

— Vénérable Maître, déclara-t-il, je suis le dernier survivant d'une loge de Berlin dont tous les membres ont été exécutés ou déportés. J'ai cru en Hitler, comme eux. J'ai fait partie du cercle Thulé où il y avait d'autres maçons. C'est ce qui m'a sauvé. Mais ils finiront par m'identifier. Chaque jour, je m'attends à être arrêté.

Dieter Eckart croyait encore à une provocation. Mais l'aide de camp était bien venu seul, prenant tous les risques. Guy Forgeaud avait chaud au cœur. Au plus sombre de l'enfer, il y avait donc un Frère inconnu. Jean Serval revivait l'émotion de son initiation. Il se sentait perdu, ébloui. La vie ne s'arrêtait plus à la porte de leur prison.

— L'Allemagne va bientôt perdre la guerre, déclara Helmut. Demain, après-demain, le mois prochain... mais elle perdra.

— Vas-tu plus loin, mon Frère ? interrogea le Vénérable, posant une question rituelle pour connaître le grade initiatique de l'Allemand.

— Les mystères de l'étoile me sont connus.

— Vas-tu plus loin ?

— Non, Vénérable Maître. Je suis Compagnon et j'ignore le secret des Maîtres.

— Les trois degrés de l'initiation sont présents dans

cette loge, conclut le Vénérable. Nous pouvons travailler en sagesse, en puissance et en harmonie.

Le cœur de chacun des Frères s'emplit d'une joie indicible. Ils avaient réussi à s'évader de la forteresse, de la guerre, du malheur.

— Mon père, dit le Vénérable, pourriez-vous reprendre vos fonctions de Couvreur ?

Le Moine n'avait plus senti le sang lui monter aux joues depuis le jour lointain où sa grand-mère l'avait surpris en train de voler du chocolat. Se laissant prendre au jeu, il avait assisté à cette « tenue » maçonnique, oubliant l'habit qu'il portait. Il s'était laissé presque séduire par la magie des attitudes rituelles. Honteux, il tourna le dos aux francs-maçons pour observer à nouveau ce qui se passait dans la cour. Il ne pouvait malheureusement pas se boucher les oreilles.

— Un Frère demande-t-il la parole dans l'intérêt de la loge ?

L'aide de camp leva la main.

— Tu as la parole, dit François Branier.

— L'officier supérieur Klaus est en réunion depuis plus de deux heures avec ses principaux subordonnés. Il a réussi à les convaincre. Ils ont décidé d'exterminer la totalité des déportés et d'abandonner la forteresse. La garnison n'est pas assez nombreuse pour résister à une attaque. Ils la savent imminente. Le dernier problème à régler, c'est la loge « Connaissance ». Pour vous arracher votre secret, il ne reste plus que la torture la plus brutale. Un quitte ou double, Klaus et ses fauves vont arriver, d'un instant à l'autre. Je tenais à vous prévenir et à mourir avec vous.

Chacun encaissa le choc. Ils s'y attendaient, mais espéraient voir ce spectre s'éloigner, demeurer des prisonniers d'exception. Jusqu'à présent, on les avait isolés pendant que le Vénérable luttait pour leur survie. Le château de cartes s'écroulait. Lorsque la porte du block s'ouvrirait pour la dernière fois, elle laisserait s'engouffrer le cortège du néant.

— Le Couvreur nous préviendra de tout risque d'intrusion, dit le Vénérable. Ce danger fait partie de notre initiation. Mes Frères, je vous invite à vous mettre à l'œuvre. Mon Frère Dieter, tout est-il conforme à la Règle ?

Dieter Eckart contempla le tableau de la loge.

— Tout est juste et parfait, Vénérable Maître. Chacun des Frères s'est dépouillé de ses imperfections et remplit sa fonction.

Les paroles rituelles se répandaient comme du feu dans le corps de Jean Serval. Elles lui brûlaient l'âme. En tant qu'Apprenti, il demeurait silencieux pendant la « tenue » solennelle. Lorsqu'il deviendrait Compagnon, s'il passait l'épreuve, il recevrait le don de la parole. Il restituerait l'énergie qu'il avait reçue.

A présent, Jean Serval en était sûr. La porte du block rouge ne s'ouvrirait pas sur la nuit. Cette « tenue » durerait éternellement. Le visage du Vénérable était trop serein pour qu'il en fût autrement.

— D'où venons-nous, mon Frère deuxième Surveillant ?

— D'une loge de Jean, Vénérable Maître.

— A quoi travaillent les initiés ?

— A dégrossir la pierre brute en pratiquant la Règle.

— Les Apprentis sont-ils satisfaits ?

— L'Harmonie est en eux, Vénérable Maître.

— Mon Frère premier Surveillant, les Compagnons ont-ils découvert la pierre brute ?

— La Force les habite, Vénérable Maître.

— Aux Maîtres de transmettre la Sagesse qui leur fut transmise. Ainsi naîtra la lumière. Prenez place, mes Frères.

Chacun, instinctivement, chercha le banc de pierre ou de bois sur lequel il avait coutume de s'asseoir. Ils se contentèrent de s'installer en tailleur sur le plancher du block.

— Mes Frères, reprit le Vénérable, nos derniers travaux avaient porté sur les devoirs de l'initié face au Grand Architecte de l'Univers et plus particulièrement sur le secret du Nombre dont notre loge est dépositaire.

Ainsi, pensa le Moine, les SS ne s'étaient pas trompés.

— Contrairement à tous les usages, continua François Branier, j'ai pris la décision de vous transmettre cet ultime secret de l'initiation. Aucun de vous n'est Vénérable, mais c'est au Vénérable en vous que je vais m'adresser. Cette nuit, vous deviendrez, comme moi, gardien du Nombre qui rend notre confrérie immortelle.

Dieter Eckart demanda la parole.

— Vénérable Maître, cette proposition ne me paraît pas conforme à la Règle. Aucun d'entre nous n'est habilité à recevoir ce secret et encore moins à le transmettre. Nous mourrons en accomplissant notre fonction, nous n'en demandons pas plus. Nous avons l'immense joie de célébrer cette dernière « tenue ». Si notre secret doit disparaître avec nous, c'est que le Grand Architecte l'aura voulu ainsi. Et je te rappelle qu'il y a un profane... presque parmi nous.

Le Moine n'était pas naïf au point de croire que le Vénérable avait oublié sa présence. Il s'apprêta à se retourner, à le saluer et à quitter ce block. Il n'avait pas l'intention d'en entendre davantage.

— Notre Couvreur extérieur remplit parfaitement sa tâche, indiqua François Branier. Il entend ce qui se dit à l'intérieur du temple, mais, comme nous, il est tenu au secret.

Le Moine tourna la tête. Son regard croisa celui du Vénérable qui y lut un assentiment. Cette fois, le Moine sentit que le Vénérable éprouvait en lui une totale confiance. Il le piégeait. Il l'obligeait à rester, à garder en lui un secret qu'il n'avait pas voulu partager.

— Mon Frère Dieter n'a pas tort, souligna Guy Forgeaud après avoir obtenu la parole. Tu ne peux transmettre l'ultime secret qu'à ton successeur, Vénérable Maître. Ce n'est pas le but de cette « tenue ».

Bien qu'ils fussent de l'avis des Maîtres, le Compagnon et l'Apprenti demeurèrent silencieux.

Le Vénérable ne s'était jamais trouvé en désaccord avec sa « chambre du Milieu », composée des Maîtres de la loge. La Règle de l'unanimité était aisément respectée, dans la mesure où les Frères vivaient en harmonie.

— Peut-être l'un d'entre nous survivra-t-il, insista François Branier. Si près de l'anéantissement de notre loge, il est nécessaire que nous soyons tous informés de l'essentiel. J'ai conscience de faire une proposition exceptionnelle, en contradiction avec la Règle. Mais nous devons nous donner toutes les chances de survivre.

Dieter Eckart demanda à nouveau la parole.

— Nous devons refuser tout ce qui est contraire à la Règle. Combien de fois nous as-tu répété que toutes les réponses à nos questions s'y trouvaient ? Pourquoi en serait-il autrement aujourd'hui ?

— Parce qu'aujourd'hui est notre dernier jour, mon Frère.

Guy Forgeaud leva la main.

— Aucune importance, Vénérable Maître. L'initiation ne peut pas disparaître, même si nous mourons. Si ce monde est pourri au point d'assassiner un Vénérable, il n'est bon qu'à crever. Ne violons notre Règle sous aucun prétexte.

Le Moine comprenait la tentative du Vénérable. Avant tout, transmettre, même dans les pires conditions. Ne plus se demander si un Frère est digne ou indigne, considérer qu'il est tout simplement un Frère et que cette seule qualité lui permet de transmettre les secrets les plus inaccessibles.

Le Vénérable avait échoué. Impossible de passer outre l'avis des deux Maîtres. La hiérarchie ne serait pas brisée, la Règle ne serait pas transgressée, mais le secret reposerait sur ses seules épaules.

— Je considère donc que ma proposition est rejetée, déclara le Vénérable. Nous allons...

Les paroles de François Branier se perdirent dans un sifflement aigu qui s'amplifia à une vitesse extraordinaire jusqu'à devenir assourdissant. D'instinct, les Frères se bouchèrent les oreilles.

Puis tout explosa.

CHAPITRE 26

Une bombe. Le feu du ciel si souvent annoncé par le vieil astrologue niçois.

On attaquait la forteresse nazie.

Mille pensées s'étaient bousculées dans l'esprit du Vénérable pendant les quelques dixièmes de seconde qui avaient séparé la fin du sifflement de l'explosion de la bombe. Elle était tombée juste devant la porte du block rouge. Puis un autre sifflement, deux autres, dix autres...

Le block rouge avait volé en éclats. François Branier avait basculé en arrière. Son seul réflexe avait été de placer les avant-bras devant ses yeux. Des planches le heurtèrent de plein fouet, le blessant au dos. De la poussière l'aveugla. Il parvint à se relever.

Un amas de ruines. Le Moine, le visage en sang, mais debout.

L'Apprenti Jean Serval, le bras gauche inerte, dégageait Guy Forgeaud, coincé sous des planches. Près de lui, Dieter Eckart, la tête fracassée. Son cadavre gisait en travers de celui de Helmut, l'aide de camp SS, le Frère surgi au cœur de l'enfer.

Le Moine semblait incapable d'avancer. Il vacillait, telle une statue prête à tomber de son socle. Le Vénérable le prit par le bras. Serval souleva Forgeaud.

— Je suis aveugle, dit le Maître.

Le rythme des explosions s'accélérait.

— Foutons le camp ! exigea Guy Forgeaud. On a une chance de s'évader.

François Branier n'avait pas envie de faire le moindre pas. Il souhaitait rester là, aux côtés de Dieter Eckart.

— Venez, lui dit le Moine. Votre Frère a raison. Il faut tenter le coup.

L'un entraînant l'autre, ils avancèrent, enjambant les débris. Le Vénérable voulut s'arrêter, parler à Dieter Eckart. Le Moine le tira en avant.

— Ça ne servira à rien, murmura le bénédictin.

Jean Serval et Guy Forgeaud se trouvaient déjà dans la cour. L'Apprenti, malgré son bras cassé, guidait le Maître aveugle, couvert de sang et de poussière.

Les explosions s'espaçaient. L'attaque diminuait d'intensité. La forteresse agonisait. Plus aucun block debout. La caserne SS en feu. La tour centrale éventrée. Trous et fissures dans le mur d'enceinte. Des déportés qui couraient, d'autres qui se battaient avec les SS survivants, tentant d'arracher leurs armes. On tirait. On hurlait. On mourait. Des flammes éclairaient la nuit.

Le Vénérable marchait avec peine. Chaque effort le faisait souffrir davantage. Sa blessure au dos devait être sérieuse. Le Moine récupérait. Le goût de la liberté lui redonnait des forces.

— Si vous me laissiez, mon père… je commence à devenir pesant.

— Un Couvreur n'abandonne pas son Vénérable. Cessez de proférer des absurdités. Avancez.

Une bombe explosa non loin d'eux, les plaquant au sol. Une épaisse fumée les isola. Ils perdirent de vue Serval et Forgeaud qui se dirigèrent vers l'une des brèches du mur d'enceinte.

— Ça y est ! hurla Serval, on est bons !

L'Apprenti distinguait la pente herbeuse. Il fallait enjamber des blocs, s'engouffrer dans le vide, puis courir,

233

courir... Serval tira violemment Forgeaud qui survivait grâce à une volonté farouche. Il mourait debout. Mais il ne crèverait pas dans cette prison.

— Halt ! ordonna la voix de Klaus, l'officier supérieur SS.

Klaus ne cessait de tirer depuis le début de l'attaque. Il avait déjà vidé plusieurs chargeurs, abattant des fuyards, exécutant des SS qui désertaient. Le canon de son fusil-mitrailleur était brûlant. Mais Klaus restait le maître de la forteresse. Personne ne s'en évaderait.

Jean Serval ne voulut pas entendre l'ordre du SS. La liberté était trop proche.

— Couche-toi ! ordonna Guy Forgeaud.

Paniqué, les yeux larmoyants, l'Apprenti se tourna vers le Maître. Une brûlure lui déchira le flanc, l'obligeant à se ployer. Il porta la main à sa blessure, la retira poisseuse de sang. Il marcha vers le SS qui continuait à tirer.

— Non, pas maintenant, je vais devenir Compagnon, je vais...

Klaus riait, d'un rire de dément. Les francs-maçons ne s'échapperaient pas. Déjà mort, Serval avançait encore. Le chargeur du fusil-mitrailleur était vide, mais le SS braquait encore son arme sur les deux Frères. Guy Forgeaud fit un pas de plus, s'écroula sur le SS. Les mains de Guy Forgeaud trouvèrent un cou et serrèrent. Mais il n'avait pas la force de tuer.

Avant de sombrer dans le gouffre, il retrouva la vue. Un seul instant. Juste pour s'apercevoir que le SS avait été presque décapité par un éclat.

Le Moine et le Vénérable tournaient en rond, ne sachant plus où ils se trouvaient. Un pan entier du mur d'enceinte s'effondra, écrasant une dizaine de déportés qui l'escaladaient. Irrité par la fumée, le Moine toussait sans arrêt. Lui avait vu l'affrontement entre Klaus et les deux Frères. Pas le Vénérable, qui se déplaçait dans une brume rougeoyante, ne distinguant plus que des ombres.

Un bruit de moteur, derrière eux. L'automitrailleuse fonçait dans leur direction. Ils allaient périr écrasés. Le Vénérable sut qu'il ne reverrait aucun de ses Frères et qu'il avait perdu son pari.

Ce n'était pas lui qui allait disparaître, mais le secret dont il était dépositaire. Un secret que ses prédécesseurs avaient jugé vital pour l'humanité. Il avait donné naissance aux pyramides, aux temples, aux cathédrales, ces phares, ces îlots de beauté et d'harmonie qui influençaient à son insu le plus barbare des hommes. François Branier comprit à cet instant qu'il était le dernier des géants. Il quittait un monde où il n'avait plus sa place. L'initiation allait disparaître parce que l'humanité avait choisi la lumière froide du néant. Il n'y avait plus un seul Frère à qui donner la main. Pourtant, ils vivaient tous en lui. Ils étaient présents dans chacune de ses cellules, dans chaque goutte de son sang. Il n'y avait plus que le Moine, qui tentait en vain de le tirer en avant, de l'arracher au monstre de métal qui s'apprêtait à les broyer.

A présent, François Branier vivait la fonction de Vénérable. Il était habité par la communauté des Frères passés à l'Orient éternel, il constituait le maillon qui les reliait à la fois au Grand Architecte et au monde. Certains sages n'avaient peut-être besoin de personne pour découvrir la vérité. Lui avait besoin du plus humble des initiés. Ils étaient tous irremplaçables.

François Branier s'emplissait de la vie de ses Frères. Cette fois, il se sentait capable de transmettre, de recréer une loge où rien de ce qu'ils avaient vécu ne serait trahi. Il devenait Vénérable.

Mais c'était trop tard. Partout le feu. La forteresse s'écroulait. François Branier, dernier Vénérable de la loge « Connaissance », laissa aller sa tête en arrière et ferma les yeux.

CHAPITRE 27

En cette fin d'été 1947, le soleil devenait doux comme une caresse. L'Ile-de-France avait connu une chaleur exceptionnelle depuis le milieu du printemps. Pommiers et poiriers étaient chargés de fruits lourds qui mûrissaient au fil de jours lumineux.

Le village vivait au rythme lent des traditions, loin de l'agitation de la ville ; à sept heures du soir, champs et vergers étaient déserts. On prenait l'apéritif, on parlait des récoltes, on se préparait à l'automne. Aucun bruit ne brisait l'air léger de septembre ; aucun bruit, sinon le chant du maillet et du ciseau d'un tailleur de pierre, juché au sommet d'un échafaudage.

Le Moine s'interrompit, posa ses outils et s'épongea le front. La fraîcheur tombait. Malgré sa robuste constitution, il la redoutait un peu. Les séquelles de la congestion pulmonaire qui avait failli le tuer n'étaient pas encore effacées.

Le Moine travaillait depuis l'aube. La chapelle avançait. Encore une semaine, et ce serait l'inauguration. Il avait adopté le plan de l'église haute de l'abbaye de Saint-Wandrille. Un style roman très pur, austère, dépouillé de tout discours inutile.

Quand le Moine avait ouvert son chantier, sur un terrain que lui avait offert la commune, des villageois lui avaient offert leurs bras. En refusant cette aide, le bénédictin leur avait expliqué qu'il s'agissait d'un vœu. Il devait construire seul. Sa chapelle serait placée sous la protection de saint François. Une fois terminée, elle serait offerte au village à la condition d'être parfaitement entretenue. Une fois l'an, une messe serait célébrée pour glorifier la fraternité des justes. Personne n'avait pu en savoir davantage. On s'était habitué à la présence muette de cet étrange bénédictin. Quand il partirait pour regagner son monastère, on le regretterait.

Le Moine passa la main sur un bloc de granit qu'il venait de mettre en place. Cette pierre avait une âme. Elle vibrait. Elle était prière. Il aurait volontiers vécu le reste de son existence à l'intérieur de sa chapelle. Mais la communauté l'appelait. Elevé à la dignité d'abbé, il ne pouvait plus s'offrir le luxe de la solitude. Mille tâches, de la plus matérielle à la plus spirituelle, exigeaient sa présence et son attention. Ainsi l'exigeait la Règle. Nulle dérogation n'était envisageable.

Le Moine descendit de l'échafaudage, nettoya ses outils, les rangea dans une caisse qu'il déposa à l'intérieur de l'édifice, là où se trouverait bientôt l'autel, une pierre de fondation du temps des cathédrales, que Saint-Wandrille offrait à la chapelle.

Le terrain était vaste, entouré de chênes et de hêtres. A l'Occident, une rangée de peupliers au feuillage argenté. Nulle maison en vue. Le Moine enfourcha une bicyclette et pédala tranquillement jusqu'au village, empruntant un sentier qui courait à travers champs. Le soleil se couchait dans les blés. Des corbeaux gagnaient la forêt en croassant. Les hirondelles dansaient dans le ciel, certaines plongeant vers le Moine, le saluant au passage d'un battement d'ailes.

Le bénédictin avait une affection particulière pour cette heure-là, où Dieu lui paraissait si proche qu'un dialogue muet s'instaurait de lui-même. Le Moine ne s'appartenait plus. Ses pensées se déployaient dans le soleil rougeoyant. Elles étaient absorbées par les clartés fugaces où se mariaient le jour mourant et la nuit naissante. Il n'avait plus à choisir, à décider ; la vie se tissait d'elle-même.

Sur la place du village, deux paysans discutaient sous un platane. Ils saluèrent le Moine quand il rangea son vélo contre le mur de la mairie, un beau bâtiment de la fin du XVIIIe siècle auquel on accédait par un perron. Le Moine en gravit lentement les marches. Depuis sa sortie de l'enfer, depuis que Dieu lui avait permis de gagner son pari, le bénédictin appréciait chacune des secondes qu'il vivait.

Il pénétra dans la mairie. Le hall d'entrée fleurait bon la cire et le vieux bois. S'aidant de la rampe, il grimpa l'escalier aux marches grinçantes. Le bureau du maire se trouvait au deuxième étage. La porte était entrouverte. Le Moine poussa.

— Bonsoir, monsieur le maire.

— Bonne journée, mon père ?

— Excellente.

— Un verre de bière fraîche ?

Le Moine ne se fit pas prier. Il avait soif. Par les fenêtres du bureau, il voyait les frondaisons des grands tilleuls qui ombrageaient la place.

— Nous y allons, mon père ?

Le Moine se leva. Il attendait ce moment depuis longtemps. Le maire précéda le bénédictin. Ils sortirent de la mairie par l'arrière du bâtiment, traversèrent une pelouse et pénétrèrent dans une propriété ceinte de hauts murs. Au fond, une demeure traditionnelle à trois étages. Dans un angle du terrain, un tumulus en pierre dont l'accès était clos par une lourde porte métallique. Le maire sortit une clé de sa poche.

— C'est donc ici, Vénérable, que vous avez construit votre loge.

— Oui, mon père. Puisque le Grand Architecte m'a permis de gagner mon pari, j'ai tenu parole. J'ai tout construit de mes mains. Comme vous.

— Je suppose que les visites sont interdites aux profanes ? Vous avez pu voir ma chapelle, je ne verrai pas votre loge. Dieu n'a pas peur de se montrer, mais votre Grand Architecte se cache.

François Branier fit tourner la clé dans la serrure et ouvrit la porte.

— J'ai le sentiment, mon père, que votre Dieu n'est pas aussi apparent que vous le prétendez. Entrez. Vous n'êtes plus un profane, depuis que vous avez été Couvreur. Dois-je vous rappeler que les Couvreurs sont d'anciens Vénérables ? Vous êtes ici chez vous. A charge de revanche. J'aurais grand plaisir à être reçu par un abbé.

— Admettons, bougonna le Moine en descendant l'escalier qui menait à la loge.

Une dizaine de marches, un coude à angle droit, une antichambre avec une petite pièce.

— C'est ici que méditent les futurs initiés avant leur première mort, expliqua le Vénérable.

Il ouvrit une autre porte, donnant accès à la loge proprement dite. Une voûte en chevrons, couverte d'étoiles. Un sol de pavés noirs et blancs. Au fond, trois marches menant à une sorte d'estrade sur laquelle se trouvaient trois petits bureaux. Au-dessus de celui du milieu, un Delta. Le Moine s'avança, découvrant, de part et d'autre de la porte, deux colonnes surmontées de grenades. Au centre du temple, trois autres colonnes encadrant un tableau blanc. La surface sur laquelle s'inscrivaient, à chaque « tenue », les symboles créateurs, ceux que le Moine avait vus se mêler, avec le sang d'un Frère, au plancher du block.

— Avez-vous trouvé un successeur ?

— Pas encore, répondit le Vénérable. Je suis parvenu à rassembler quelques Frères pour recréer une loge initiatique. Ils me gardent comme Vénérable pour la prochaine année. Ensuite, j'espère qu'ils me permettront de partir à la retraite. J'irais volontiers la passer chez vous, mon père...

— Les gens comme nous n'ont pas droit à la retraite, Vénérable. Et je ne tolérerai pas la présence d'un hérétique dans mes murs. Vous serez plus utile ici. Il y a beaucoup à faire pour redonner à quelques-uns le sens de la vie. Quand ils l'auront trouvé, ils sauveront les autres.

Le Moine et le Vénérable s'assirent sur l'un des bancs de bois où, lors des « tenues », prenaient place les Frères. La sérénité de la pierre nue, son éternité tranquille pénétraient peu à peu leur âme.

Sur un petit autel, près du Moine, un panier d'osier contenait des « métaux ». Parmi eux, l'anneau du Compagnon Raoul Brissac qu'il avait lui-même retrouvé dans les restes calcinés de la forteresse.

— Vous avez eu des nouvelles de notre jeune Allemande ?

— Elle sera bientôt professeur d'Université, répondit le Vénérable.

La jeune femme blonde avait réussi à fuir et à prévenir les Alliés.

— Si Guy Forgeaud n'avait pas saboté l'automitrailleuse, rappela le Moine, nous ne serions pas là. J'ai bien cru que nous finirions écrasés. Elle s'est arrêtée brusquement. Une bombe l'a désintégrée. Vous, vous n'avez rien vu. Vous étiez évanoui.

Guy Forgeaud, Dieter Eckart, Pierre Laniel, André Spinot, Raoul Brissac, Jean Serval, Maîtres, Compagnons et Apprenti, tous broyés par l'enfer.

Le mystère d'un Vénérable, pensait François Branier, c'est sa solitude. Quand il a tout donné, quand il se consacre totalement à sa loge, quand sa vie est formée des vies de ses Frères, que lui reste-t-il en propre ? L'abandon de ce qu'on croyait être soi-même, l'étrange lumière d'un monde où questions et réponses ont disparu, où le Grand Architecte est une présence qui se suffit à elle-même... Un Vénérable n'a ni confident ni ami. Il est seul, car sa destinée personnelle ne compte plus, même à ses yeux. Peut-être a-t-il peur d'une tâche qui le dépasse, peut-être doute-t-il de tout. Aucune importance. Ces émotions n'ont pas à être partagées. Les Frères attendent du Vénérable qu'il dirige la loge, éclaire son chemin, apporte l'énergie nécessaire.

— Pourquoi avons-nous gagné tous les deux ? interrogea le Moine.

— Parce qu'on ne pouvait même pas perdre, répondit le Vénérable.

Au-dehors, la nuit tombait. L'un des crépuscules ouatés d'Ile-de-France, avec son cortège de nuages orange, abritant les dernières lueurs du soleil.

Le Moine et le Vénérable quittèrent la loge et marchèrent côte à côte, mains croisées derrière le dos, sur le chemin de terre qui allait se perdre dans la campagne, loin des maisons.

— Les moines de Saint-Wandrille ont beaucoup de chance de vous avoir comme abbé, mon père.

— Cessez de vous occuper de nos affaires, rétorqua le Moine, bourru. Songez plutôt à former des Maîtres et à transmettre votre fameux secret. Je ne crois pas une seconde à sa valeur, mais il vaut mieux tout utiliser pour transformer la pourriture en pureté.

— Pour une fois, mon père, je suis de votre avis.

Ni le Moine ni le Vénérable n'avaient envie de quitter cette nuit-là. Du haut du ciel, les hirondelles virent leurs deux silhouettes, étrangement semblables, s'aventurer dans les ténèbres.

Le Norois, Saint-Jean d'Hiver 1984.

MALAPARTE CURZIO
Sodome et Gomorrhe
Une femme comme moi

MAURIAC FRANÇOIS
Le romancier et ses personnages
Le sagouin

MESSINA ANNA
La maison dans l'impasse

MICHENER JAMES A.
Alaska
   1. La citadelle de glace
   2. La ceinture de feu
Caraïbes
   tome 1
   tome 2
Hawaii
   tome 1
   tome 2
Mexique

MIMOUNI RACHID
De la barbarie en général et de
   l'intégrisme en particulier
Le fleuve détourné
Une peine à vivre
Tombéza

MONSARRAT NICHOLAS
La mer cruelle

MONTEILHET HUBERT
Néropolis

MORGIÈVRE RICHARD
Fausto

NAKAGAMI KENJI
La mer aux arbres morts
Mille ans de plaisir

NASR EDDIN HODJA
Sublimes paroles et idioties

NIN ANAÏS
Henry et June

NORRIS FRANCK
Les rapaces

PEREC GEORGES
Les choses

POUCHKINE ALEXANDRE
La fille du capitaine

QUEFFELEC YANN
La femme sous l'horizon
Le maître des chimères
Prends garde au loup

RADIGUET RAYMOND
Le diable au corps

RAMUZ C.F.
La pensée remonte les fleuves

REY FRANÇOISE
La femme de papier
La rencontre
Nuits d'encre

ROUANET MARIE
Nous les filles

SAGAN FRANÇOISE
Aimez-vous Brahms..
...et toute ma sympathie
Bonjour tristesse
La chamade
Le chien couchant
Dans un mois, dans un an
Les faux-fuyants
Le garde du cœur
La laisse
Les merveilleux nuages
Musiques de scènes
Républiques
Sarah Bernhardt
Un certain sourire
Un orage immobile
Un piano dans l'herbe
Les violons parfois

SALINGER JEROME-DAVID
L'attrape-cœur

SCHREINER OLIVE
La nuit africaine

STOCKER BRAM
Dracula

Achevé d'imprimer en mars 1997
sur les presses de l'Imprimerie Bussière
à Saint-Amand (Cher)

POCKET - 12, avenue d'Italie - 75627 Paris Cedex 13
Tél. : 01-44-16-05-00

— N° d'imp. 610. —
Dépôt légal : septembre 1996.

Imprimé en France

PRESSES... — 12, avenue d'Italie 75627 Paris Cedex 13
Tél.: 01 44 16 05 00

N° d'impr. 6310
Dépôt légal: septembre 1996
Imprimé en France